V&R

Alice Bernhard-Hegglin

Die therapeutische Begegnung

Verinnerlichung von Ich und Du

Mit einem Vorwort von Gaetano Benedetti

Vandenhoeck & Ruprecht
in Göttingen

Die Deutsche Bibliothek – CIP-Einheitsaufnahme

Bernhard-Hegglin, Alice:
Die therapeutische Begegnung : Verinnerlichung von Ich und Du /
Alice Bernhard-Hegglin. – Göttingen : Vandenhoeck & Ruprecht, 1999
ISBN 3-525-45830-4

© 1999 Vandenhoeck & Ruprecht, Göttingen
Printed in Germany
Das Werk einschließlich aller seiner Teile ist urheberrechtlich geschützt.
Jede Verwertung außerhalb der engen Grenzen des Urheberrechtsgesetzes ist ohne Zustimmung des Verlages unzulässig und strafbar. Das gilt insbesondere für Vervielfältigungen, Übersetzungen, Mikroverfilmungen und die Einspeicherung und Verarbeitung in elektronischen Systemen.
Satz: Competext, Heidenrod
Druck- und Bindearbeiten: Hubert & Co., Göttingen

Inhalt

Vorwort	7
Persönliche Erinnerungen: Begegnung und Verinnerlichung	9
Teil I: Innere Lebensgeschichte	**13**
Innere Lebensgeschichte entsteht in der therapeutischen Begegnung	13
Stefan	14
Corinne	29
Viviane	40
Begegnung, Beziehung, Übertragung und innere Lebensgeschichte	46
Therapeutische Begegnung	46
Begegnung und innere Lebensgeschichte	49
Teil II: Am Anfang war der Wunsch ...	**51**
Wunsch und Dichtung: zur Wunschstruktur der Existenz	52
Der Wunsch in der Therapie	57
Vom Trieb zum Wunsch	57
Therapie als interaktive Wunschgeschichte	58
Die Befreiung des Wunsches als therapeutisches Grundgeschehen	60
Der erinnerte Wunsch im therapeutischen Dialog ...	65
Vom Wunsch zur Sehnsucht	71

Teil III: Das verinnerlichte Du — 77

Das verinnerlichte Du in der Dichtung 79
Verinnerlichung und Tiefenpsychologie 85
   Vom Objekt zum Du – Leben als
   Begegnungsstreben 85
   Verinnerlichung und Entwicklungspsychologie 87
   Wunsch, Phantasie und Zeitlichkeit –
   der innere Dialog 91
Verinnerlichung und Therapie...................................... 94
   Das verinnerlichte Du des Therapeuten 94
   Das erinnerte Du – das erinnerte Ich 101
   Ein neues inneres Du 109

Teil IV: Du erkennst mich, also bin ich — 113

Vom Cogito zum dialogischen Cogito 115
Erkanntwerden und Dichtung... 119
   Existentielle Erfahrungen des Erkanntseins............. 119
   Existentielle Erfahrungen des Nicht-Erkanntseins... 126
Erkanntwerden und Begegnungsphilosophie............... 133
Therapeutische Dimensionen des dialogischen
Erkanntwerdens... 138
   Entwurf einer kommunikativen Sichtweise
   des Unbewußten.. 138
   Erkanntwerden und schöpferisches Wachstum........ 142
   Bilder des Erkanntwerdens.. 145
Therapeutische Praxis und Wissenschaft 155

Anmerkungen 160

Literatur 170

Vorwort

Seit meiner Lektüre eines Buches von Hans Trüb, vor mehr als dreißig Jahren, der psychotherapeutische Heilung als Begegnung verstand, habe ich kaum so bewegende Seiten zu diesem Thema gelesen wie in der vorliegenden Schrift von Alice Bernhard-Hegglin: »Die therapeutische Begegnung – Verinnerlichung von Ich und Du«.

Die Autorin versteht Begegnung wesentlich als ein Erkennen und Erkannt-werden in einem seelisch-geistigen Rahmen, wo die tiefsten Wunscherfüllungen des Menschen und damit die Wurzel der Kraft liegt, die den Leidenden zum wahren Selbst führt. Gewiß, man findet solche Gedankengänge bei berühmten Autoren wie Buber, Erikson, Mahler, Winnicott. Aber aus verschiedenen Gründen bin ich von den Ausführungen dieser Autorin besonders beeindruckt:

Beeindruckt von ihrer Fähigkeit, Wissenschaft und Literatur, Psychologie und Anthropologie zu verbinden, sowohl in ihrem Rückblick auf große Dichter wie vor allem in ihrer Zuwendung zu den psychotherapeutischen Patienten, deren Krankengeschichten sie sehr anschaulich als Heilungsgeschehen darstellt. Man merkt beim Lesen sofort, wie die Autorin in ihrer Arbeit imstande ist, das verborgene Wünschen und Streben der Leidenden wahrzunehmen, indem sie selber mit ihrem eigenen Wünschen und Streben ganz dabei ist.

Weiter erscheint mir die Psychotherapie der Autorin deshalb besonders wichtig, weil ihre Methode oft aus einer Verbindung von Tiefenpsychologie und Kurztherapie besteht. Alice Bernhard-Hegglin spricht bei ihren Patienten tiefste seelische Schichten an, und sie läßt ihnen dann Zeit, aus sich selbst die Früchte der psychotherapeutischen Gespräche reifen zu lassen; eine neue Begegnung findet auf einer zweiten oder dritten Stufe der Entwicklung statt. In einer Zeit, die jahrelange Psychotherapie finanziell als überfordernd erklärt, wirkt die Arbeitsweise der Autorin, die mich an den Psychosomatiker Alexander aus den vierziger Jahren erinnert, »zeitgemäß«.

Schließlich und ganz besonders nehme ich eine Verwandtschaft der Psychotherapie von Alice Bernhard-Hegglin mit der meinen wahr, weil die Autorin dem Patienten nicht nur in der interpersonellen Sicht (etwa als »participant Observer«, wie sich Sullivan ausdrückt), sondern auch und wesentlich in der intrapsychischen Sicht und Schicht begegnet. Was ich in meinen Schriften beispielsweise als »Übergangssubjekt« konzeptualisiert habe, nennt sie »Du in mir«; und sie meint sowohl den Patienten im Therapeuten wie den Therapeuten im Patienten.

Ich bin selbst wesentlich zu dieser Sicht in der Psychotherapie der Psychosen gekommen. Alice Bernhard-Hegglin ist einen Schritt weitergegangen, sie hat ihre Erfahrungen nicht mit psychotischen Patienten gemacht, sondern mit vielen Menschen, die sogar teilweise als klinisch gesund gelten und doch infolge ihrer ungelösten Konflikte eine nur kümmerliche Existenz entfalten können.

Alice Bernhard-Hegglin gehört aus meiner Sicht zu der Tradition der großen Therapeutinnen, beginnend bei Gertrud Schwing bis zu Marguerite Sechehaye und Margaret Mahler.

Sie stellt weniger jene Psychotherapien dar, in denen eine »Katharsis« in der Mobilisierung der negativen Emotionen erfolgt (wie bei Melanie Klein); ihre Mütterlichkeit ist eine wahre Quelle des Lebens, so daß die schöpferische seelische Symmetrie, die positiven Kontakterfahrungen bei ihr ganz überwiegen.

Schon die Lektüre des Buches wirkt psychotherapeutisch.

Gaetano Benedetti

Persönliche Erinnerungen: Begegnung und Verinnerlichung

Es war vor bald dreißig Jahren. Nach wenigen Vorgesprächen im Sitzen begann die eigentliche analytische Arbeit »auf der Couch«. Mein Analytiker, ausgebildet durch Gustav Bally, hatte mir alles erklärt: das analytische Setting, die Grundregel der rückhaltlosen Offenheit, das freie Assoziieren ... Ich legte mich hin, mit leisem Bangen. Und – ich erinnere mich immer wieder an diese Erfahrung – ich legte mich sozusagen in eine grenzenlose Geborgenheit hinein, wie ich sie beim Sitzen nie erlebt habe. Es öffnete sich eine neue Dimension von Gespräch, der emotionale Raum eines inneren Dialogs. Ich konnte den Analytiker nicht mehr sehen, mich nicht mehr orientieren an seinem Gesichtsausdruck, seinen Augen, aber ich entdeckte ganz anderes: wie er atmete, wie seine Haltungen und Wertungen sich ohne Worte ausdrückten allein im Klang der Stimme. Ich fühlte seine Stimmungen schwingen – Freude, Ablehnung, alles wurde nach und nach vernehmbar. Ich entdeckte seine verwundbaren Stellen, als es für mich wichtig wurde, ihn auch zu verletzen und zurückzuweisen, um die Grenzen seiner Zuwendung zu erproben. – In der Begegnung mit dem Anderen entdeckte ich mich selbst, entdeckte ganze Kontinente in mir, die versunken waren im Unbewußten, und ich ließ sie auftauchen ... Die Ahnung von einer größeren Ganzheit begann mich zu leiten. Ich lernte mich erkennen im Begegnungsraum dieser Beziehung, mich neu sehen, mich annehmen und lieben – so wie ich mich durch den Analytiker als anerkannt und geliebt erlebte.

Ein halbes Jahr vor dem Ende der Analyse. Herbst. Vor der Stunde schlenderte ich durch das Goldlaub, das im Park vor seiner Praxis dicht am Boden lag. Auf der Couch begann ich zu sprechen: »Ich bin durch das farbige Laub gewandert ... ich habe ans Sterben gedacht, ... nicht an mein Sterben, an Ihren Tod habe ich gedacht. – Wenn Sie einst sterben werden, leben Sie in mir weiter.« Nun war er eine innere Gestalt geworden, ein neues inneres Du. Ich konnte den Analytiker loslassen, ihn in sein Sterben entlassen. Für mich war er unverlierbar geworden.

Vor einigen Monaten habe ich mit meinem hochbetagten Analytiker gesprochen. Ich wollte etwas über Gustav Bally, seinen Lehrer hören. Ist er nicht einer der wenigen noch lebenden Schüler Ballys? Eigentlich mochte er nicht detailliert Auskunft geben, er sagte nur soviel: »Wissen Sie, Bally ist wie eine leuchtende Gestalt in mir. Aber das ist ja selbstverständlich.« Nun erfuhr ich, daß auch er einst seinen Lehrer verinnerlicht hat und ihn noch im hohen Alter als leuchtende innere Gegenwart erlebt – als Anteil seiner selbst.

Diese Erfahrungen aus der eigenen Analyse haben mich hellhörig werden lassen für den Reichtum – den vielleicht immer noch zu wenig erforschten Reichtum – der heilenden emotionalen Dimensionen im Begegnungsgeschehen einer Analyse, einer Therapie. Es sind anthropologische Dimensionen, sie scheinen sich zu verwirklichen unabhängig von der Methode des therapeutischen Arbeitens: Ich habe es so erlebt in einer Psychoanalyse, die ein stark rational orientiertes Arbeitsbündnis voraussetzt und sich auf eine Jahre dauernde Zusammenarbeit ausrichtet; die sich der mehr rational begründeten Begegnungsstruktur im psychoanalytischen Setting verpflichtet weiß, die große Zurückhaltung des Analytikers fordert, der als Hintergrund gegenwärtig ist, oft im Schweigen, meist nur als Spiegel im Deuten erfahrbar. – Und dabei welch ein Reichtum an emotionaler Begegnungserfahrung, nicht nur Begegnung mit sich selbst, sondern Begegnung mit dem Du, ja Selbstbegegnung und Selbstfindung in der Begegnung mit dem Du!

Daß eine analytische Erfahrung zu einer Verinnerlichung führt, zu einer »heilenden Introjektion des Anderen«, zu einer Verinnerlichung, die nicht von uns wegführt, sondern zu uns hin, hat mich sensibilisiert für die Wahrnehmung ähnlicher Prozesse im Verlauf eines therapeutischen Weges. Unabhängig von der jeweils sich ergebenden Arbeitsmethode, glaube ich im Zentrum dieses Geschehens immer mehr das Phänomen der Verinnerlichung als wandelnde und wachstumsfördernde Kraft zu sehen. Ich umkreise dieses »Du in mir« in allen vertieften Therapien als ein Geschehen im Klienten, der mit mir unterwegs ist – und ebenso als ein Geschehen in mir selbst als Therapeutin, die mit dem Anderen unterwegs ist. Mit jedem Du werde auch ich in einen Wandlungsprozeß hineingenommen.

*

Ich arbeitete bereits an einer Studie, in der ich die Frage nach den anthropologischen Grundlagen solcher Erfahrungen zu stellen suchte, als ich Gaetano Benedettis Denken, vor allem dem 1992 erschienenen Werk *Psychotherapie als existentielle Herausforderung* begegnete. Benedetti sagt darin, daß seine »Lebensarbeit« der Therapie des an Schizophrenie erkrankten Mitmenschen galt und dem damit verbundenen Forschen. Auf diesem Weg findet er, ausgehend von der Psychoanalyse und in der Offenheit gegenüber anderen therapeutischen Denkrichtungen, die er teilweise integriert, eine »neue Mitte, von der aus er das gesamte Gebiet der Psychotherapie zu überblicken sucht« (persönliche Mitteilung).

Auf Benedettis Weg zu dieser »neuen Mitte« lebt die ständige Frage nach den anthropologischen Grundlagen von Therapie, er sucht nach einem neuen Horizont des Menschseins in der Begegnung mit dem leidenden Mitmenschen. In seinem Suchen und Fragen werden für Benedetti therapeutische Modelle relativierbar, das methodische »Werkzeug« wird zur selbstverständlichen, aber unerläßlichen Voraussetzung allen therapeutischen Handelns, die Person des

Therapeuten dagegen wird immer bedeutsamer. Sie muß sich selbst in Frage stellen, sich zu erkennen und zu entwikkeln suchen, denn sie kann nur wirken, wenn sie sich in der Begegnung existentiell herausfordern läßt.

Benedettis Sichtweisen trugen für mich wesentlich dazu bei, die in diesem Band dargestellten anthropologischen Dimensionen therapeutischer Begegnung zu klären und zu vertiefen. Er schafft den Begriff der *Dualisierung* und hebt die Bedeutung von Wunsch und Sehnsucht hervor. Er spricht von der »Hoffnung als therapeutischem Grundprinzip«; er betont die Wichtigkeit der therapeutischen Spiegelung und schafft den damit verbundenen Begriff der Positivierung. Vor allem aber spricht er immer wieder von der Verinnerlichung der Person des Therapeuten durch den Leidenden und den damit verbundenen heilenden Prozessen. Das Unbewußte mit seinen schöpferischen Kräften erfährt und beschreibt er als wesentlichen therapeutischen Begegnungsraum. In den verschiedenen Dimensionen therapeutischer Begegnung sieht er immer mehr eine anthropologische Wirklichkeit, die den Ursprung der Selbstwerdung umschließt, unsere menschliche Urerfahrung in sich birgt.

In der Begegnung mit Benedettis Werk leuchtet für mich die Wirklichkeit seiner Aussage, daß für ihn »die Urdimension der Existenz Liebe ist« (1992, S. 269). Diese Wirklichkeit leuchtete auch vor bald dreißig Jahren in der analytischen Begegnung mit meinem Analytiker. Beiden bin ich zu großem Dank verpflichtet.

Teil I:
Innere Lebensgeschichte

> Begegnung ist ein Erkenntnisprinzip ... Wir müssen dem Menschen begegnen, um zu wissen, wer er ist. – Unsere Lebensgeschichte ist eine Begegnungsgeschichte.
>
> *D. von Uslar*

Innere Lebensgeschichte entsteht in der therapeutischen Begegnung

Innere Lebensgeschichte als »Sinn-Geschichte« entsteht in und durch Begegnung. Wir erleben unsere Lebensgeschichte neu in einer tiefergehenden Begegnung, wir deuten sie neu im Blick des Anderen, der sie aufnimmt. Innere Lebensgeschichte ist eine in der Begegnung mit dem Anderen neu erlebte, eine neu gedeutete Lebensgeschichte, eine »Sinn-Schöpfung«.

Im folgenden möchte ich durch Beispiele aus der therapeutischen Praxis zeigen, wie sich Begegnungsdimensionen im therapeutischen Raum öffnen. Dabei suchen wir das Ineinandergreifen von Begegnung und innerer Lebensgeschichte zu sehen. Als Therapeuten sind wir uns dessen bewußt, daß die Faktizität unserer Lebensgeschichte nicht mehr veränderbar ist. Und doch beruht tiefenpsychologisch orientierte Therapie zum großen Teil darauf, mit dem Klienten zusammen eine neue, andere Lebensgeschichte zu erschließen. Wir wissen heute auch von der Neurophysiologie her, daß wir nicht Fakten, sondern Bedeutungen engrammieren. Den Zugang zu diesen engrammierten Deutungen erreichen wir im Wiedererleben von bedeutungsnahem Geschehen. Das heißt: In der therapeutischen Begegnung lebt unsere innere Lebensgeschichte wieder auf, wir finden Zugang zu vergangener Erlebnisweise, und erst durch diese neue Begegnungserfahrung ist neue Sinn- und Bedeutungsgebung möglich. Begegnung und innere Lebensgeschichte sind im therapeutischen Raum untrennbar ineinander verwoben.

Stefan

Im Juli, kurz vor unserer Abreise in die Ferien, liegt in meiner Post ein eigenartiger Brief: Auf dem Umschlag steht mit völlig schreibungewohnter Schrift meine Adresse, innen ein mit dem Computer mit allem Raffinement gestalteter Brief folgenden Inhalts: *Betrifft: Hilfesuche für psychologisches Problem (fettgedruckt)* Dann: *Ich habe gehört, daß Sie eine sehr gute Psychologin sind. Ich habe viele ungelöste Probleme. Es würde mich sehr freuen, wenn Sie mir eine Aussprache gewähren* ... Der Brief kam aus einem mir unbekannten weit entfernten »Nest« des Bündnerlandes. Nun, ich war eigenartig berührt von dieser Art und entschloß mich, die Angelegenheit auf die Zeit nach den Ferien zu vertagen. Der Verfasser des Briefes erhielt eine handgeschriebene Zeile, daß ich zunächst in die Ferien fahre, er mich aber ab Mitte August telefonisch erreichen könne. Und wirklich ein Telefonanruf kam. Dieser verwirrte mich noch mehr: eine dünne Stimme meldete sich, kaum kontaktfähig, zwischendurch verschwand sie, so daß ich nachfragte: »Sind Sie noch da?« Schließlich aber kam ein Termin zustande, dem ich mit einigen unangenehmen Gefühlen entgegensah.

An einem Samstag vormittag nun erscheint Stefan: ein langgezogener, zart gebauter rotblonder junger Mann, mit schmalem Gesicht und langen, feingliedrigen Händen. Mir gegenüber sitzend, schaut er mich kaum an, ich muß alles erfragen, die Antworten brechen plötzlich wieder ab, und ich habe das Gefühl, daß er ertrinkt und ich ihm einen Rettungsring zuwerfen müsse. Woher er meine Adresse habe? Von Marianne (eine Theologiestudentin, die zu jener Zeit bei mir in Analyse war), er habe sie in den Ferien getroffen, sie habe sofort gesehen, daß er das gleiche Problem habe wie sie, und ihm empfohlen, zu mir zu gehen. Diese Auskunft tut mir in meiner Verwirrung als Anhaltspunkt sehr gut. Er und Marianne haben das gleiche Problem? Ja, schreckliche Angst vor Kontakt. Er ist fast immer allein, wagt niemanden anzusprechen und leidet an dieser Isolation.

Zu seiner Lebenssituation: Er hat eine Maurerlehre gemacht – mit dem besten Abschluß, betont er stolz. Er ist 23jährig, lebt allein in einer kleinen Wohnung seit dem Lehrabschluß, als es ihm finanziell möglich wurde, von den Eltern wegzugehen. »Sie waren froh, von den Eltern wegzugehen?« Die Mutter hat ihn, soweit er sich erinnern kann, immer nur »angelärmt«. Früher hat er gestottert, er wagte nicht zu reden, mußte Klassen wiederholen, und es reichte nicht für weiterführende Schulen. Die Maurerlehre tat ihm gut; er hat gelernt, sich durchzusetzen, und ist stark geworden. Die Schwester, wenig älter als er, hat auch gestottert und war in einer Sprachheilschule. Der ältere Bruder hatte es besser, er hat nicht gestottert, hat die weiterführende Schule besuchen können und eine Ausbildung als Informatiker. Der Vater hat ein eigenes Geschäft, er ist erfolgreich, auch in der Politik engagiert, und alle schätzen ihn. Aber er ist fast nie daheim, die Mutter lärmt ihn auch nur an, so geht er halt ... Die Familie ist angesehen im Dorf, der Vater hat ein eigenes Haus gebaut, aber niemand weiß, wie bei ihnen die Wirklichkeit aussieht. Dies alles kommt in Brocken, immer wieder unterbrochen von dem eigenartigen »Ertrinken«.

Ich habe das Gefühl, Stefan sei ein in der Kälte ausgesetztes Kind, ohne warme Kleidung. Ich habe ein starkes Bedürfnis, ihn zu wärmen.

Ob er manchmal Rückenschmerzen habe? Ganz offensichtlich hat er einen kranken Rücken, wie soll das weitergehen in ein paar Jahren mit seinem Beruf als Maurer?

Wir treffen einige Abmachungen: Stefan meldet sich sofort beim Arzt und verlangt, daß ein Röntgenbild vom Rücken gemacht wird und eine Anmeldung bei der Invalidenversicherung erfolgt wegen einer möglichen Umschulung. – Er wird einmal in der Woche nach Zürich kommen. Er fragt: »Wie lange geht es, bis ich gesund bin?« Dann: »Wie *machen* Sie das?« (Das war eindeutig die Frage eines Handwerkers, der gewohnt ist, einen sauberen Arbeitsplan zu haben). Ich sage ihm: »Wir machen es beide zusammen, und zwar so: Wenn Sie Vertrauen zu mir finden, wird es Ihnen immer leichter fallen, mit mir zu reden ohne Angst, und das wird dann nach und nach bei anderen Menschen auch so sein«. Er überlegt kurz: »Das leuchtet mir ein, zuerst bei Ihnen, dann bei den anderen.«

Das nächste Mal erscheint er mit einer Mappe. Er stellt sie neben sich und setzt sich. Seine Haare sind ganz frisch gewaschen. Wie ein frisch gebadetes Baby, denke ich und spüre Wohlgefallen an ihm. Er scheint mein Wohlgefallen aufzunehmen, er lächelt und »sonnt sich« wohlig in mir. Im Gespräch versuche ich zu verstehen, ob belastende Ereignisse in seinem jungen Leben nie ausgesprochen wurden. Es gibt solche Vorfälle in der Familie und in der Schule. Er würgt es geradezu hervor. Es scheint eine übermächtige Erfahrung für ihn zu sein, einmal zu reden von noch nie ausgesprochenen Dingen in seinem Leben.

Aber er hat auch gute Erfahrungen gemacht. Ja, in der Natur hat er sich immer wohl gefühlt, der Wald, die Wiesen haben ihn nicht verstoßen. Die sind gut zu ihm. – Einmal war auch eine Frau da, die ihm geholfen hat. Als er dreizehn war, hat der Vater ihn mitgenommen ins Nachbardorf, dort war diese Frau, »die wußte, wie es bei uns daheim zuging« (Freundin des Vaters?). Sie war verständnisvoll und bot ihm an, daß er immer kommen dürfe, wenn er wolle. Sie hat ihm geholfen, sich gegen die Mutter zu wehren. Als er älter wurde, ging er nicht mehr zu ihr.

Am Ende der Stunde schaut er zunächst verlegen fragend, dann öffnet er mutig die Mappe und entnimmt ihr zwei dicke Computerbücher. »Schauen Sie, das mache ich ganz allein, bis dahin bin ich bereits gekommen.« Ich lasse mir einiges erklären, ich bewundere ihn sehr. Er ist mächtig stolz, in diesem Moment spricht er fließend ohne jedes Zögern. »Ich zeige Ihnen dann wieder, was ich gelernt habe.«

Es vergehen weitere Stunden, manchmal mit zweiwöchigem Abstand, wenn er auf einem weiter entfernten Bauplatz arbeitet. Aus diesem Grund können wir den nächsten Termin nicht immer im voraus festlegen. Aber Stefan ruft dann immer an, auch am Telefon ist seine Sprache schon fließender.

Eines Tages erscheint Stefan mit ganz neuen Kleidern. Ich spreche ihn darauf an. »Gefällt es Ihnen?« Er steht nochmals auf und zeigt sich. Es erfüllt ihn sehr, daß er mir gefällt. Es ist, als wenn er sich jetzt selbst streicheln könnte. Er gefällt sich selbst auch.

Dann setzt er sich. Noch immer ist ein Grundverhalten da: Stefan setzt sich in die Sonne. Ich registriere es, es tut mir gut, ich glaube, ich bin glücklich, wenn ich Wärme vermitteln kann.

Das »Ertrinken« ereignet sich immer seltener. Beim Reden kommen noch Unterbrechungen vor, er ist dann etwas hilflos, lächelt mich an, und so entsteht eine Brücke, er spricht weiter ohne meine Hilfe.

Für den Urlaub hat er mutig aktive Ferien auf einem Boot mit einer ihm unbekannten Gruppe junger Menschen geplant. Ich bekomme eine Karte aus Amsterdam: »Es sind für mich die schönsten Ferien, die ich bis jetzt miterlebt habe. Ich habe sehr viel Zeit nachzudenken.« Es fällt mir auf, daß er »miterlebt«, und wie er später erzählt, hat er erlebt, daß er dazugehört, für ihn eine ganz neue Erfahrung. Und zugleich hat er sehr viel Zeit zum Nachdenken. Ich erfahre, daß er immer mit mir geredet hat, wenn er allein war, und alles in seinem Leben zusammen mit mir angeschaut habe.

Eines Tages fällt mir auf, daß Stefan mich mit anderen Augen anschaut. Spontan denke ich: »Was ist mit seiner Sexualität, wir haben noch nicht darüber gesprochen.« Ich fühle, daß ich als Frau in seine erotisch-sexuellen Phantasien hineingenommen bin. In dieser Stunde erzählt mir Stefan von einem weiteren belastenden Ereignis aus seiner Kindheit: Wegen einer Hodenoperation mußte er – als er in der sechsten Klasse war und später insgesamt drei weitere Male – längere Zeit im Spital verbringen. Weder der Lehrer noch die Klassenkameraden haben ihn jemals besucht oder ihm geschrieben. Er war völlig ausgeschlossen, so als sei er tot. – Er weiß nicht recht, was das für eine Hodenoperation war. »Ob alles klappe?« frage ich. »Ich weiß nicht, ich habe noch nie ...«, er errötet und lächelt mich verlegen an. »Sie haben noch nie mit einem Mädchen geschlafen?« Es scheint ihn zu befreien, daß wir auf das Thema kommen. Er möchte schon, aber er kann nicht glauben, daß ihn ein Mädchen auch liebhaben könnte ... Ja doch, er sieht manchmal eine Frau, die gefällt ihm schon. Er kauft dann etwas bei ihr – sie ist Verkäuferin –, er ist dann einen Moment lang sehr glücklich ...

Es ist Januar geworden, die erste Stunde nach Weihnachten, insgesamt die zwölfte Stunde unseres Zusammenarbeitens. Kurze Zeit nach Gesprächsbeginn reicht mir Stefan ohne Worte einen Briefumschlag. Ich schaue ihn fragend an, spüre, daß sich etwas für ihn sehr Bedeutungsvolles ereignet. »Lesen sie das.« – Jetzt? – »Ja, jetzt«. Ich öffne, sehe einen handgeschriebenen langen Text und beginne zu lesen (im Wortlaut mit den Sprachfehlern wiedergegeben):

Januar 1981
ich fühle mich einsam, zu manchen Tagen sehr einsam. Ich habe mich schon als kleiner Junge daran gewöhnen müssen. Sei es im Spital gewesen als ich darauf wartete daß mich jemand besuchen würde oder zu Hause als ich auf jemand wartete daß er mit mir sprach, mir Dinge des Lebens erklärte – besprach. Statt dessen wurde ich verängstigt, angeschrien so verängstigt daß ich mich in den hintersten Schlupfwinkel unseres Hauses verzog, versuchte nicht mehr zu hören. Es war ein kleiner Estrich ganz oben

im Dachfirst, er war mein Zufluchtsort für meine Tränen der Hoffnungslosigkeit die ich vergoß. Ohne jede Zuversicht daß ich jemand finden würde der mir zur Seite steht. Jetzt nach dieser Zeit habe ich große Mühe mich jemand anzuvertrauen. Ihm etwas zu erzählen von mir auch die schlechten Seiten. Ich habe nie gelernt, vertraulich zu reden, mich jemanden anzuvertrauen, ja ihm zu vertrauen. Dinge die ich ihm sage auch nicht an die große Glocke hängt und mich damit schadet. Ich vertraue niemanden! Dies kam von der Schule, viele hielten mich für einen Schwächling, nur wenige konnten zu jemanden stehen der sich nicht wehrte, nicht für sich einstehen konnte. – Nicht fähig war auf jemanden einzuschlagen! alles über sich ergehen ließ, für viele ein Opfer für seine Aggressionen war. Es ging soweit, daß ich nur noch mit Mühe zur Schule gehen konnte, von einem Chaos ins andere, und niemand der mir zur Seite stand. Ich fand nur in der Natur, im Wald und im Garten etwas was mir bedeutete. Ich ging in den Wald, schlug Holz, legte einen Garten an, arbeitete jedesmal dort, um die Welt um mich zu vergessen. Das daß ich mich damit befaßte wurde mir von der Natur belohnt. Ich habe immer großes Gemüse gehabt, was mir nicht vergönnt wurde. Auch meine Arbeit im Wald wurde nicht belohnt. Ich nahm die erste Arbeit an als Laufbursche, ich machte den Nachbarn Kommissionen.

Es war die Zeit meiner dritten Operation. Es fällt mir schwer, darüber zu schreiben. Ich habe einen neuen Zeitvertreib gefunden, kein guter! Ich fing an meinem Glied herumkneten, drückte es um das weiße Zeug aus mir herauszupumpen. Ich vertrieb mir die Zeit der Einsamkeit damit. Es wurde zu einer krankhaften Sucht von mir, wann ich nur konnte machte ich es, des Gefühls wegen. Mit der Zeit fing ich an, mich selbst zu »quälen«. Hängte mich an den Füßen auf, fesselte mich und dies immer mit bloßem Körper. Bis heute bin ich nicht davon losgekommen, es belastet mich und beschäftigt mich Tag für Tag. – Nur wenn ich unter Leuten bin habe ich die Kraft mich davon loszureißen.

Ich war sehr lang ehrlich und habe mich sehr lange daran gehalten. An dem Tag aber als ich mich mir selber beweisen wollte, ging diese Welt in Brüche, es viel eine Welt zusammen. Der Dieb war geboren, ich fing an in Warenhäusern Dinge mitzunehmen die ich nicht bezahlt habe. Nur des Zweckes wegen mich mir selbst zu behaupten daß, ja mir selbst zu beweisen daß ich jemand bin, welch ein Blödsinn. Es mußte ein böses Erwachen kommen, und wieder stand niemand an meiner Seite, nur vorwurfsvolle, verständnislose Gesichter. Ich wurde zu 14 Tagen Arbeit verurteilt. Erst nachher lernte ich eine Person kennen die verstand mir zu helfen, helfen mich zu wehren, über Dinge hinwegzukommen. Zu helfen ein wenig Persönlichkeit zu bilden, ohne sie wäre ich heute nichts.

Ich wollte, leider wollte ich nur zu Hause weglaufen, unzählige Male. Bis zur Haustüre schaffte ich es nur, dort verließ mich der Mut. Die ungewisse Zukunft hielt mich zurück.

Als ich endlich erwachsen war, ergriff ich endlich die Gelegenheit und zog aus. Eigentlich habe ich bis da sehr viel geschafft, ich war jemand! Aber ich war und bin es heute noch nicht. Das was ich da gelernt habe, paßt nicht zu mir, es ist gegen meine Überzeugung: Daß die Natur mein Leben ist. Es schmerzt jedesmal wenn eine Narbe in sie gerissen wird, – in mich! Es kann so nicht weitergehen! Wo ist mein der richtige Weg? Diese Ungewißheit war einer der Gründe, daß ich anfing, mich mit Drogen zu betäuben, bewußt mich meiner Verantwortung entzogen. Die Möglichkeit nichts mehr zu sehen von dieser Zerstörung. Aber um ein solches zu erreichen, muß man immer mehr nehmen, sich in eine Abhängigkeit hineinsteigern. Aber es wird immer schlimmer, nicht besser. Dies hielt mich ab, weiterzumachen.

Eins habe ich bis heute nicht gelernt, mich selbst zu schätzen, mich zu achten. Ich schaue mich unbewußt als Versager an, vielleicht sogar dieser Tatsache mit zuviel Optimismus begegne und verdränge, nicht etwas aktiv unternehme. Es besteht immer, ist immer um mich und es ist die Gefahr, daß es zu jedem Zeitpunkt über mich kommt, mit all seiner Macht. Ich muß mich in meiner absoluten Zerrissenheit selbst wieder finden. Ich glaube kaum daß ich das mit eigener Kraft schaffe ohne Hilfe anderer. Aber wo ist der richtige Weg? Aber wie und vor allem wo muß ich es anpacken?

Während ich lese, spüre ich Stefans Blick unentwegt auf mir ruhen. Es ist, wie wenn die Zeit stillstehen würde. Diese Geschichte, die nun plötzlich da ist, Gestalt geworden ist, ergreift mich sehr, eine erschütternde Lebensgeschichte. Ich schaue auf, Stefan sagt: »Einmal haben Sie angehalten und dann etwas nochmals gelesen.« Nun weiß ich, wovon er sprechen möchte. Ich fühle mich sehr ruhig und gehe mit ihm in den Raum seines Leidens hinein. »Es ist im Schlafzimmer? – Ich habe nur ein Zimmer.« Wir gehen zusammen zu der Tür, an der er sich an den Füßen aufhängt. »Womit hängen Sie sich auf?« »Es ist ein dicker langer Strick, er liegt immer bereit im Zimmer. Aber zuerst ziehe ich mich aus. Dann binde ich den Strick um beide Beine, unten, so. Jetzt werfe ich den Strick über den oberen Türrahmen und fasse ihn auf der anderen Seite unten wieder. Dann beginne ich zu ziehen, bis ich nicht mehr kann, bis es sehr weh tut. Jetzt mache ich den Strick fest und dann tue ich's.« – Es ist schön, wenn es so weh tut? – »Es ist viel stärker, und dann kann ich mehrmals ...« – Und nachher? – »Ich bin sehr elend ...« – Und Sie brauchen es bald wieder? – »Ja ... weniger oft, seit ich zu Ihnen komme ...« Wir sind zusammen im Raum seines Leidens. Ich habe das Gefühl, daß seine Geschichte in mich hineinsinkt und sich in meine Geschichte hineinverwebt. Ich sage: »Es ist wie mit der Mutter, immer haben Sie Nähe nur mit schrecklichem Leiden zusammen erlebt ... Den Kopf unten ... Und sie lärmt so laut ...« Stefan zittert am ganzen Leib und bejaht.

Nach einiger Zeit halte ich ihm das Blatt hin. Er sagt: »Ich will es nicht mehr, es bleibt bei Ihnen.«

Wir können an diesem Tag den nächsten Termin nicht festlegen, er weiß diesmal nicht, wo er arbeiten wird. Er wird mich, wie schon öfter, deswegen anrufen.

Als Stefan weg ist, beginne ich, mir Sorgen zu machen. Wie werde ich umgehen mit seinem Leiden? Ich versuche mich an alle in Seminaren dargestellten Fallgeschichten zu erinnern, in denen es um sexuelle Perversion ging. Und das Buch von Medard Boss (1966) fiel mir ein, das ich vor langer Zeit gelesen und das mich damals beeindruckt hat – vielleicht sollte ich es jetzt nochmals lesen? Dann werde ich wieder ruhiger, sage mir, daß sich die Abhängigkeit von dieser Art der sexuellen Befriedigung ja schon etwas gelokkert hat, seit er zu mir kommt ... Ich werde einfach weiter versuchen, ihm Vertrauen zu vermitteln.

So warte ich auf den vereinbarten Anruf. Aber es kommt kein Anruf im Januar, kein Anruf im Februar. Ich werde sehr unruhig. Kein Anruf im März. Ende April ertrage ich es nicht mehr, nichts von ihm zu hören. So schreibe ich ein paar Worte, mit großer Zurückhaltung, er muß sich frei entscheiden, mir ein Lebenszeichen von sich zu geben oder nicht. Mitte Mai kommt ein Anruf: »Da ist Stefan G.« Seine Stimme ist gelöst und klingt so voll, wie ich sie nie zuvor gehört habe. Wie es geht? »Gut, erraten Sie!« Ich rate: »Sie haben eine Freundin.« – »Wenn es nur das wäre.« – »Dann sind Sie vielleicht mit der Freundin zusammengezogen.« – »Wenn es nur das wäre.« – »Ja, vielleicht haben Sie sich sogar verlobt.« – »Ich bin verheiratet, wir erwarten ein Baby.« – »Dann ist alles gut geworden?« – »*Ich habe gewußt, daß ich geheilt sein werde, wenn ich Ihnen alles übergeben habe.*« Er gibt mir seine neue Adresse an, erwähnt noch, daß er die Aufnahmeprüfung für das Technikum vorbereitet und bestanden hat. Er wird eine Ausbildung als Bauingenieur machen, es klingt voller Stolz. Wir nehmen herzlich Abschied.

Nach diesem Gespräch empfinde ich eine große Freude über die nun von Stefan dargestellte Entwicklung, ich frage mich aber auch, warum er nichts mehr von sich hören ließ. Ich erkläre es so, daß er sich erst total von mir entfernen mußte, um einer jungen Frau zu begegnen und die Erfahrung der Sexualität mit ihr zu machen. Wegen der Stärke seiner Beziehung zu mir war für ihn vorerst keine konkrete Rückbindung an mich möglich.

Was war nun der eigentlich heilende Faktor in diesem therapeutischen Prozeß? Ich überprüfe die Version Übertragungsheilung: *Was* hat er übertragen? Er hat seine Mutter nie bewußt positiv erlebt. Man könnte dennoch sagen, um bei der Hypothese der Übertragungsheilung zu bleiben, daß er offensichtlich mich zunächst als Mutter erlebte, dann als Freundin phantasierte ... und auf dem Höhepunkt des Übertragungsgeschehens davonlief. Die Erklärung befriedigt mich doch nicht. Die Hypothese der Katharsis als heilender Faktor? Offensichtlich fand er Heilung nach einer umfassenden »Lebensbeichte«. Katharsis ist sicher ein Teil des heilenden Geschehens, aber als Erklärung befriedigt es mich nicht. Bleibt die Hypothese einer Heilung als Placeboeffekt. Ich lese in einem Lehrbuch der Klinischen Psychologie (Davison, Neale 1988):

»Ein Therapeut, der viel auf seine Theorie hält, wird sich kaum mit dem Gedanken befreunden, daß der Erfolg seines professionellen Tuns zum großen Teil oder ganz davon abhängt, daß er die Hilfserwartungen seines Klienten mobilisiert. Aber die Psychotherapieforschung bietet nur wenig Belege für das Gegenteil. Nach Meinung vieler Forscher ist in der Psychotherapie, nicht anders als in weiten Teilen der Medizin, der *zuverlässigste Effekt der Placeboeffekt.*«

Wenn schon »Heilserwartung«, die ganz sicher eine wichtige Rolle spielt in diesem therapeutischen Prozeß, dann möchte ich sie aus anthropologischer Sicht betrachten; der Begriff des Placeboeffektes scheint mir dazu ungeeignet[1]. So bleibt mir keine andere Möglichkeit, als durch sorgfältiges eigenes Überprüfen zu verstehen, was geschehen ist.

War es vielleicht eine *Heilung durch Begegnung*? Wenn ich Begegnung ganz einfach definiere: zwei Individuen, die aufeinander zugehen, sich in irgendeiner Form als relevant erkennen, und zwischen denen sich ein Lebensprozeß anbahnt, der nicht vorhersehbar ist und der für beide bedeutsam wird.

Eine therapeutische Begegnung beginnt *vor* dem konkreten Aufeinanderzugehen, sie beginnt in Form einer *vorweggenommenen Begegnung, einer Begegnungserwartung.* Wir können uns die Wirkweise dieser erwarteten Begegnung bei Stefan unschwer vorstellen. Seit er sich seiner bewußt ist, fühlt er sich eingeschlossen in eine unerträgliche Isolation und Einsamkeit. Er lebt in einem Zustand der Hoffnungslosigkeit. Da erkennt Marianne, die Theologiestudentin, einen Teil seiner Not und sagt ihm, daß sie einen Menschen kennt, der ihm helfen kann. Dadurch kommt eine neue Dimension in seine hoffnungslose Situation; es beginnen sich bisher als unveränderbar erlebte Perspektiven zu verschieben, eine innere Bewegung setzt ein. Er meldet sich bei mir an. Durch seine Anmeldung bei mir bricht er aus einer Umgebung aus, in der sein Schritt ein ungewöhnlicher ist. Er begibt sich auf einen in seiner Lebenswelt von niemandem begangenen Weg. Es ist anzunehmen, daß in diesem mutigen Aufbruch bereits seine Heilung einsetzt. (Ich muß gestehen, daß *ich* diese Begegnung abgewehrt habe, ich hatte gehofft, er würde sich dann doch nicht melden. Mein Unbehagen bestand offensichtlich darin, daß ich ihn nicht »orten« konnte.)

In der ersten konkreten Begegnung mit mir nimmt Stefan etwas wahr, das ihn spüren läßt: »Hier ist's warm, du kannst dich in die Sonne setzen.« Es beginnt sofort eine Begegnung auf einer primären nonverbalen Ebene, nennen wir sie *Primärbegegnung*, vielleicht auch *Basisbegegnung*. Wenn wir Erkenntnisse der biologischen Psychologie miteinbeziehen[2], dürfen wir annehmen, daß wir in der Begegnung mit dem Anderen auf die Wahrnehmung eines breiten Spektrums von Signalen angelegt sind, Signale, die wir austauschen und die wir in die Bedeutungsdimension heben. Es sind Zeichen von Sicherheit, Verläßlichkeit, daraus erwachsend ein Grundgefühl von Geborgenheit. Es ereignet sich in diesem primären Zugehen auf einen Anderen auch etwas, das wie ein »Abtasten« ist auf das ausgerichtet, ob der andere meine Bedürfnisse erfüllen kann. Es ist ein unbewußter oder vorbewußter Dialog, ein nonverbaler Austausch von Mitteilungen und Bedeutungen. In diesem Prozeß konstituieren wir intuitiv in uns ein Bild des anderen. In diesem Sinn ist Begegnung eine primäre Erkenntnisform.

Wir können diese Basisbegegnung dem Thema des gemeinsamen Unbewußten annähern. Wir finden den Begriff bei den ersten großen Tiefenpsychologen: Freud und Jung sprechen von einem gemeinsamen Unbewußten, das sich zwischen Patient und Therapeut zu bilden beginnt. Freud erwähnt schon früh den Begriff eines gemeinsamen Unbewußten, den er vor allem methodisch nutzen will in seiner Anweisung zur »freischwebenden Aufmerksamkeit«, in der ein Unbewußtes das andere berührt (GW XIII, 1923 S. 215). Jung spricht in diesem Zusammenhang vom Entstehen eines gemeinsamen Unbewußten (Jung 1946, S. 189), das eine Bindung und Vertrautheit entstehen läßt und zu einer Identifikation des Therapeuten mit dem Patienten führt. In neuerer Zeit führt Benedetti den Gedanken des gemeinsamen Unbewußten auf eindrückliche Art weiter aus. In seiner Sichtweise wird das Unbewußte zu einer wesentlichen und schöpferischen Begegnungsdimension (s. Benedetti 1992).

Um wieder zu Stefan zurückzukehren: Er kam die ganze Zeit zu mir, um sich in die Sonne zu setzen, sich aufzuwärmen, »zu sünnele«. Wir dürfen annehmen, daß solche Prozesse – wie Benedetti sie schildert – stattgefunden haben auf einer zum Teil averbalen Ebene unserer Interaktion. Diese *Primärbegegnung* verstehe ich als eine während einer Therapie zeitlich weiterlaufende, in der sich neue Erfahrung und neuer Austausch konstellieren können. Sie wird in den meisten anderen Therapien viel stärker ins Bewußtsein gehoben als bei Stefan und wird dann auch verbalisiert.

Leichter faßbar ist die Begegnung auf der Handlungsebene, dem *Handlungsdialog*.[3] Ich möchte diesen Begriff, den ich vor kurzem ein erstes Mal in der psychoanalytischen Literatur angetroffen habe, erweitern und gebrauchen zur Bezeichnung von Handlungsinteraktionen in der therapeutischen Begegnung. Solche Handlungsinteraktionen erweitern den therapeutischen Raum um eine oft wesentliche Dimension und können von großer Wirksamkeit sein. Für Stefan, den Schulversager, muß es eine heilende Erfahrung gewesen sein, daß ich empathisch an seinen einsamen Computerstudien teilnahm, daß wir gemeinsam in seinem dicken Buch blätterten, er mir die Materie erklären durfte (von der ich damals wirklich nichts verstand). Sein einsames Lernen wird dualisiert, er lernt nun nicht mehr allein. Endlich sah jemand, daß er »gescheit« ist, freute sich darüber, ja bewunderte ihn. In diesen Handlungsdialog fließt die ganze Leidensgeschichte seiner schulischen Entwicklung ein und es heilt im Tun, in der emotionalen Erfahrung etwas aus.

Ein weiterer Aspekt der therapeutischen Begegnung zeigt sich im Offensein für die Lebenswelt des anderen[4], *die Begegnung im lebensweltlichen Raum*. Ich sehe Stefans kranken Rücken (starke Skoliose), denke ihn mir auf der Baustelle und begreife, wie schwierig das Lastentragen für ihn sein muß. Seine psychische Wirklichkeit, die er zu mir bringt, gestaltet sich ja in seiner lebensweltlichen Wirklichkeit aus, auch in seinem Beruf. Ich mache ihn auf die Möglichkeit einer Umschulung aufmerksam, auf die er allein nicht gekommen ist. Die berufliche Identität zu finden ist – wie sich später zeigte – bei ihm ein wichtiges Thema. Er leidet psychisch an seinem Beruf, nicht nur wegen des Rückens, er erträgt es auch nicht, die Natur »aufzureißen«, wie er sagt, und zu zerstören. Mir ist auch bald klar, daß dieser intelligente junge Mensch für den Maurerberuf viel zu differenziert ist.

Im Prozeß der sich vertiefenden und immer vertrauteren Begegnungen ergibt sich eine Verinnerlichung des Anderen, die es möglich macht, ihn in sich gegenwärtig zu fühlen ohne sein konkretes Gegenwärtigsein. Es wird ein innerer Dialog möglich, der von großem Reichtum sein kann: Ein Fragen und Antworten, ein Austausch von Sichtweisen, eine lebendige dialogische Zweisamkeit. Stefan hatte als Kind und Jugendlicher nie einen Dialogpartner, weder bei seinen Eltern noch bei den Geschwistern, Schulkameraden oder Lehrern hat er einen gefunden. Vielleicht, so dürfen wir vermuten, führte er mit der Natur eine Art Zwiesprache, die er wie eine Person erlebt und der er kein Leid zufügen will. Ein klassisches Beispiel für Zwiesprache und Identifikation mit einer als bergenden Mutter erfahrenen Natur beschreibt Jean-Jacques Rousseau, dessen berühmte *5^e Promenade* in den *Rêveries du Promeneur solitaire* durchaus im Sinne einer Primärbegegnung interpretiert werden kann. Rousseaus Mutter starb bekanntlich bei seiner Geburt.[5] Wie dieser so hat auch Stefan in der Natur ein Du gefunden. Dabei hat er sich unablässig nach dem Gespräch gesehnt, wahrscheinlich nährte die Zwiesprache mit der Natur in ihm das Wunschbild, die Vorstellung eines menschlichen Du. Vielleicht werde ich als Therapeutin deshalb so bald zu seiner inneren Gesprächspartnerin, er fühlt sich von mir begleitet, etwa in seinen Ferien, er schaut mit mir alles an in seinem Leben. »Sie waren auch da«, kann er mir in seiner nüchternen Art, die nun auch Vertrautheit ausdrückt, nach seiner Rückkehr aus Amsterdam sagen.

In einer starken Beziehung, vor allem wenn sie gegengeschlechtlich ist, wird auch die erotisch-sexuelle Anziehung spürbar werden. Ich erlebe oft, daß ein männlicher Klient mich in seine erotisch-sexuellen Phantasien einbezieht und daß dies heilsam wirken kann. Bei Stefan mag das auch geschehen sein, wir sprechen nicht darüber, aber er sagt mir, daß er sich weniger oft sexuell »quälen« muß, seit er zu mir kommt. So ereignet sich bei ihm der Übergang vom primären Bei-mir-Sein, um sich zu sonnen, zu seinem Mannsein. Ich nenne dies *die phantasierte Begegnung.*

Stefan scheint in der therapeutischen Begegnung seine Geschichte als Erfahrung nochmals zu durchleben, nicht primär im Gespräch, im Gewinnen von rationaler Einsicht, sondern in einer emotionalen dialogischen Erfahrung. Im Erleben des Angenommenseins strukturiert sich seine innere Lebensgeschichte. Sie nimmt Gestalt an, er erspürt das Grundmuster der Einsamkeit und Hoffnungslosigkeit und erlebt den Sinnzusammenhang seines Weges im Wunsch: »... daß ich doch jemand hätte, der mit mir sprechen würde!« Sein Symptom ist sozusagen seine verdichtete Lebensgeschichte, im Offenbaren dieses Symptoms, durch sein Mitteilen gibt er diese innere Leidensgeschichte in einen dualen Raum hinein. Diese Geschichte, im Symptom ausgedrückt, wird eine Geschichte für und mit dem Anderen, der ihr Raum gibt, der sie aufnimmt, der sie leidend und liebend mitlebt, sie wird somit dualisiert. Auf eindrückliche Weise erleben wir, wie Stefan seinen Wunsch nach Heilung mit einer großen inneren Kraft zur Erfüllung hinführt, indem er einem Du *alles übergibt und weiß, daß er geheilt sein wird.* Die »Dualisierung des Leidens« (Benedetti) ist das Heilende, das die verzweifelte Einsamkeit seines Symptoms auflöst und Stefans wirkliche Liebeskraft daraus befreit. Im Wagnis der therapeutischen Begegnung wandelt sich seine innere Leidensgeschichte zur Geschichte eines nach Liebe hungernden und liebesfähigen Menschen.

So hat mich Stefan, gerade weil seine Schulbildung minimal war, herausgefordert, mich auf die einfachen existentiellen Grundbedingungen therapeutischer Erfahrung zu besinnen und sie freizulegen.

Die Begegnung mit Stefan hatte noch ein kurzes Nachspiel. Etwa zwei Jahre nach dem oben beschriebenen Telefongespräch ruft er mich an. Seine Frau habe ein Problem, sie möchte zu mir kommen, er würde sie begleiten. Wir sind dabei, einen Termin festzulegen, da höre ich durchs Telefon hindurch ein Schluchzen. Stefan unterbricht und kommt zurück: »Vreni sagt, sie komme nur, *wenn sie zu Ihnen sofort Du sagen darf*«. Ich meine, daß wir das gut so halten können, bin aber innerlich doch recht erstaunt über diesen ungewohnten und sehr entschieden geäußerten Wunsch. – Zum vereinbarten Termin erscheint ein glückliches, immer noch sehr verliebt wirkendes Paar. Ich freue mich, Stefan nun *so* zu sehen. – Und das Problem? Es ist ganz klein (Vreni gefällt sich nicht im Badeanzug, sie fühlt sich dann »dick«, und sie möchte sich verstecken, während sie doch Stefan gefällt, so wie sie ist); und Vreni beginnt gleich zu erklären. »Weißt du, es kommt davon: Meine Mutter hat mich nicht gewollt, sie war nicht verheiratet. Sie hat die Schwangerschaft zwar nicht abgebrochen, da bin ich doch froh, aber dann hat sie mich einfach der Großmutter übergeben. Die war zwar lieb, aber ich habe es meiner Mutter nie verziehen. Später, als ich schon zur Schule ging, wollte sie mich einfach holen, als sie dann einen Mann hatte, aber da habe *ich* nicht mehr gewollt. Nein, ich blieb bei der Großmutter« ... und so entstand eine farbige Lebensgeschichte vor meinen Augen, und es blieb zwar unausgesprochen, aber es war ganz klar: Jetzt bist du meine Mutter. So schnell und fraglos war ich noch nie als Mutter adoptiert worden. Auch hier hatte sich eine innere Lebensgeschichte neu konstelliert um das Du einer »neuen Mutter« herum, das Vreni sich zuerst erträumte und dann konkret verschaffte, was ja der Sinn des sofortigen Du-Sagens war.

Nachtrag

Weitere zwei Jahre vergehen. In meiner Post liegt eine Geburtsanzeige, die Stefan mit viel Geschmack selbst hergestellt hat und in der die junge Familie freudig die Ankunft eines zweiten Kindes bekanntgibt. Und nochmals zwei Jahre später. Ohne an Stefan zu denken, befinde ich mich in den Ferien in der Gegend, wo er wohnt. Ganz zufällig bekomme ich Unterlagen für eine in dieser Landesgegend stattfindende Wahl zu sehen. Stefans Photo fällt mir sofort auf, dann schaue ich, dankbar und mit dem Gefühl einer immer noch dauernden Nähe, sein Gesicht an, das offen und selbstsicher wirkt. Stefan hat begonnen, sich als junger Politiker zu engagieren.

Corinne

Corinne steht kurz vor der Matura – das hat sie mir am Telefon gesagt –, hat aber so große seelische Probleme bekommen, daß sie meint, es sei das beste, die Schule zu verlassen und erst in einem Jahr die Matura zu machen. Nun ist sie da, wirkt mit ihren gut 19 Jahren sehr kindlich, besonders wegen ihrer staunenden Kinderaugen. Oder ist es gar kein Staunen, ist es eher Desorientiertheit?

Sie schildert ihre Situation: Seit ein paar Wochen bekommt sie »Zustände«, da kann sie sich im Turnen plötzlich kaum mehr bewegen, die Glieder wollen nicht mehr mitmachen, und sie weiß kaum mehr, was links und was rechts ist, im Sologesang bringt sie plötzlich keinen Ton mehr hervor, der Ton bleibt drinnen stecken ... Im Zeichnen löst sich das Bild in viele Bruchstücke auf, sie kann keine zusammenhängende Form mehr sehen und zeichnen – dabei sind das alles ihre Lieblingsfächer, in welchen sie immer sehr gut war. – Und daheim? Die Mutter findet, sie solle unterbrechen, sie könnte sich für ein Jahr in ein Kloster zurückziehen. »Der Vater, ja, dem ist das gleich; er sagt, ich müsse es selber wissen. Er meint zwar, daß ich die Hürde schon nehmen könnte, nachher wäre ich frei, zu tun, was mir Freude macht.« Ob sie sich diese »Zustände« erklären könne? Nein, sie war immer glücklich, als jüngste von drei Geschwistern der Liebling der Mutter und des Vaters. Zudem sei sie seit dem vierzehnten Lebensjahr sehr religiös, das gebe ihr viel Kraft. – »Religiös wie die Mutter?« »Ja, die Mutter ist sehr gläubig, der Vater kann das nicht ausstehen. Er ist ein totaler Materialist, er ißt gerne und furchtbar ungesund, trinkt auch Wein, die Mutter und ich und die Schwester, die noch zu Hause lebt, essen nur Vollwertkost, und wir trinken keinen Wein. Darum kocht die Mutter für den Vater allein ein Menü, so wie er es will«. Sie sagt das alles mit einer »übergestülpten« Überzeugung, die überhaupt nicht zu ihr paßt. – »Sie haben einen Freund?« Sie hat jemanden sehr gern, Felix, mit dem musiziert sie und diskutiert auch oft mit ihm, er hat die gleichen Interessen, will Theologie studieren. Manchmal möchte sie auch zärtlich sein, wahrscheinlich auch er, aber sie könne doch nicht, wegen der Mutter. – Die Mutter mag Felix nicht? – Doch sehr, sie findet ihn sehr gut, genau richtig für mich, aber *ich* ... *ich* habe keinen Platz in mir ... neben der Mutter ... – »Sie träumen manchmal?« – »Ja, ich schreibe die Träume auf, die mir bleiben. Ich schreibe auch Tagebuch, seit ich sechzehn bin. Ich bringe Ihnen das Tagebuch das nächste Mal mit.« Am Ende dieses ersten Gesprächs telefoniere ich mit der Augenärztin in meiner Nachbarschaft, ich möchte die Sehstörungen untersucht wissen. Corinne kann sofort hingehen.

Wir vereinbaren, daß Corinne zunächst nicht die Schule verläßt. Sie wird mit dem Direktor reden, der die Fachlehrer von den Schwierigkeiten in Kenntnis setzt. Sie wird sagen, daß sie eine Therapie macht und deshalb erst in ein bis zwei Monaten eine Entscheidung fällen kann. Wir vereinbaren einen Termin auf den übernächsten Tag.

Corinne ist so desorientiert, daß sie um halb zwei erscheint, während wir uns doch erst auf drei Uhr verabredet hatten. Ich muß sie warten lassen. Zu Beginn des Gesprächs zieht sie ein kleinformatiges Büchlein hervor. »Da ist es, mein Tagebuch, ich habe unterdessen auch darin gelesen.« – »Und?« – »Ja, da ist gleich am Anfang ein Traum, den ich hatte, als ich sechzehn war, und ein Gespräch mit der Mutter. Das ist der Anfang im Tagebuch.« Mit enger angepaßter Schrift hat Corinne die kleinen Seiten gefüllt. Sie möchte mir das vorlesen, was sie gefunden hat. Sie liest mit kindlicher Stimme einen Traum vor. Dann folgt ein Brief an die Mutter, in welchem sie verspricht, dafür zu leben, daß die Mutter endlich glücklich werden dürfe. Corinne erklärt dazu: Die Mutter habe ihr gesagt: »Jetzt bist du sechzehn, du bist erwachsen, jetzt kannst du verstehen, jetzt erzähle ich dir, wie es war in unserer Ehe zwischen dem Vater und mir.« Und die stark frustrierte Frau, die immer krank ist (trotz der Vollwertkost) und ihre Erfüllung in ihrer Religiosität sucht, in einem Raum, in den sie sich mit ihren beiden Töchtern einschließt (der Sohn hat sich rechtzeitig davongemacht) und den Partner ausschließt, erzählt dem armen Kind alle ihre lebenslangen ehelichen Frustrationen.

Der Traum erschüttert mich. Ich schlage Corinne vor, den Traum zusammen nochmals zu durchleben. »So erschließt sich unter anderem der duale Sinn des Traumes, der in der psychotherapeutischen Begegnung gefunden wird. Gedeutete Träume sind nach Benedetti (1984, S. 8) immer *Orte der Begegnung* und Befruchtung«. Ich würde es gut finden, wenn Corinne sich hinlegt, dann kann sie ganz entspannt sein und »den Traum nochmals kommen lassen«. Sie legt sich hin und erzählt langsam mit geschlossenen Augen:

Ich bin in einem Garten, er ist ganz wild, mächtige Bäume, drohend. Es hat geregnet und gestürmt, der Boden ist sehr naß und aufgeweicht, der Boden ist nasser »Dreck«. Es ist unheimlich, ich fühle mich in Gefahr. Im Garten ist ein großes Haus, ich trete ein, weil ich Angst habe. Auch drin ist's unheimlich. Ich renne durch die halbdunklen Gänge, finde eine Treppe, steige in den oberen Stock, dann noch höher, oben ist vielleicht mehr Sicherheit. Aber ich werde noch unruhiger, sehe, daß die Fenster offen stehen. Ich will sie schließen, damit niemand hineinsteigen kann. Ich bin am Fenster, lehne mich hinaus, eine dunkle Gestalt klettert an der Hausfassade empor ... ich erstarre fast vor Angst, es ist der Vater, er hält sich am Fensterbord, er will hineinsteigen. Nein! Ich gebe ihm einen mächtigen Stoß, lautlos stürzt er in die Tiefe, ich höre etwas dumpf aufschlagen, ich schaue hinaus, er liegt in dem »braunen Dreck«, es dreht ihn, er kollert den Abhang hinunter, er ist so »dreckig« wie die Gartenerde. Er ist tot, er sieht fast nicht mehr wie ein Mensch aus.

Plötzlich bricht Corinne in Schluchzen aus. Ich lasse sie weinen. Nachdem sie sich beruhigt hat, sage ich: »Wollen Sie den Traum verwandeln, *neu träumen*, gerade jetzt?« Sie will das. Sie beginnt nochmals, alles bleibt gleich, sie ist im Haus, hat Angst, sie schaut durchs Fenster, die Gestalt ... es ist ihr Vater. Dann kommt eine Wende in den Bildern des neuen Traums. Sie ruft den Vater zu sich: »Paß auf, daß du nicht hinunterfällst, komm ich helfe dir«. Der Vater kommt ins Haus, sie umarmt ihn: »Ich habe dich fast umgebracht, aber jetzt lebst du doch ...« Wir deuten nichts. Ich sehe, daß Corinne eine starke intuitive Erlebnisfähigkeit hat. Es ist auf ihrem Gesicht sichtbar, in ihrer Körperhaltung, daß etwas aufgebrochen ist in ihr.

Sie entdeckt ihren Vater, beginnt zum Entsetzen ihrer Mutter bei Tisch das Menü des Vaters zu essen, trinkt einen Schluck Wein mit ihm. Sie kauft ein großformatiges Tagebuch, beginnt mit expansiver Schrift ihre Erfahrungen und Träume aufzuzeichnen. Immer wieder zeichnet sie einen großen Vogel, der wegfliegen will, aber gefangen bleibt, einen gebrochenen Flügel am Gitterstab – dann einen Vogel, der mit weiten Schwingen den Himmel durchmißt, weit unten, ganz klein, bleibt ein aufgebrochener Käfig. – Auch in ihren Träumen sieht sie ihn immer wieder, diesen Seelenvogel, gefangen, verletzt, abgestürzt, befreit ... und wieder gefangen.

Corinne bleibt drei Monate in Therapie, sie kommt zwei- bis dreimal in der Woche. Sie wird noch oft von ähnlichen Krisen geschüttelt, gleichgeartet, aber etwas milder als am Anfang der Therapie. Während dieser ganzen Zeit ist zwischen ihr und mir eine Verbindung von unglaublicher Nähe, die ich wahrnehme als ein direktes telepathisches Ansprechen auf ihre Notsituationen. Hat sie mir diese Rolle zugewiesen? In solcher Nähe stand sie ja bis jetzt zu ihrer Mutter. Diese Nähe war zu einem Gefängnis geworden; sie versteht nun den Vogel und sein Verlangen, endlich die Flügel auszubreiten und *seinen* Raum zu durchmessen. In der therapeutischen Begegnung, so verstehe ich bald, bin ich für sie Vater und Mutter zugleich, sie begegnet in mir den Wertwelten beider Eltern, dieser so gegensätzlichen Eltern, die sie beide liebhat und die sie nicht verbinden kann, weder konkret noch in sich.

Corinne bleibt auf dem Gymnasium, sie macht eine gute Matura. Mehr als an den guten Leistungen freut sie sich über das Gefühl von Kraft und Freiheit, das sie erlebte, während und erst recht nach der Matura.

Sie kommt nach der Matura noch einige Male in großen Abständen zu einem Gespräch. Sie will in der Frage der Berufswahl noch klarer sehen. Sie möchte schon seit langem Physiotherapeutin werden. Wir sprechen darüber, wie dieser Berufswunsch mit der Erfahrung ihrer rheumakranken Mutter zusammenhängt und dem Wunsch, die Mutter glücklich zu machen. Sie meint, daß es klar ist, daß sie *früher* eigentlich die Mutter pflegen wollte, das wäre *jetzt* aber vorbei, aber sie habe den Berufswunsch doch noch immer.

Wir legen nun keine weiteren Termine mehr fest. Sie weiß aber, daß ich da bin, wenn sie mich wieder brauchen sollte. Eines abends ruft sie mich an und schluchzt. Ich denke sofort: Da ist wieder das kleine Mädchen von vor der Krise, das *jederzeit sofort* zur alles verstehenden Mutter gehen konnte. Ich bin entschlossen, sie nicht zu trösten. Zudem habe ich genau zu dem Zeitpunkt ein Klientengespräch festgelegt, ich muß also erreichbar sein. Ich erkläre Corinne, daß ich jetzt keine Zeit habe, in etwa einer halben Stunde könne sie mich erreichen. Sie hat nicht mehr angerufen, länger als ein Jahre lang nicht mehr. Ich fühle, wie der Vogel kraftvoll und aggressiv nochmals einen Käfig aufgestoßen hat, es tat mir weh und war gut und notwendig.

Es vergeht mehr als ein Jahr; Corinne ruft mich wieder an. Sie habe einen Traum gehabt, sei ganz durcheinander, ob sie bald kommen könne. In der Zwischenzeit hat Corinne allerlei ausprobiert, unter anderem ein Praktikum mit Kindern, falls sie sich für den Lehrerberuf entscheiden sollte. Vor allem war sie auch längere Zeit in dem Kurhaus tätig, das sozusagen »die Kirche« ihrer Mutter ist und von wo diese alle ihre Ernährungsprinzipien bezieht und wohin sich die Mutter auch mehrmals jährlich zu Kuren zurückzieht. Corinne wollte sich in die Prinzipien dieser besonderen Heilkost einarbeiten, um sie eventuell beruflich zu verwenden. Es habe sie aber plötzlich »verjagt«, sie sei täglich ins Dorf in die Disco gegangen, habe oberflächliche Freundschaften geschlossen mit anderen Jungen und schrecklich viel ungesunde Sachen gegessen, weshalb sie jetzt ein wenig dick sei. Als ihre Eskapaden entdeckt wurden, erhielt sie die sofortige Kündigung, was sie sehr befreite.

Corinne war also wieder völlig in die Welt der Mutter zurückgekehrt, allerdings mit einer starken Ambivalenz, die dazu führte, daß sie mit ihrem Verhalten diese Welt auch wieder sprengen mußte. Und jetzt? Sie ist nach Zürich zurückgekommen und hat eine Ausbildung zur Krankenschwester begonnen. Es geht sehr gut, das Pflegen macht ihr Freude, alle haben sie gern, die Kranken und die Ausbilderinnen. Aber vor einer Woche habe sie einen Traum gehabt, ganz kurz. Sie erzählt:

Ich bin an einem Krankenbett und pflege liebevoll eine kranke Frau. Nachdem ich sie gewaschen habe, muß ich sie aufheben, ich nehme sie in die Arme. Da ist diese Frau plötzlich meine Mutter. Ich bin so entsetzt, daß ich sie fast fallen lasse.

Beim Erzählen ist sie noch immer voll Entsetzen. Seit dem Traum kann sie keine kranke *Frau* mehr anrühren. So geht es nicht weiter. Sie hat schon mit der Schulleitung gesprochen und die Absicht ausgedrückt, die Ausbildung abzubrechen. Man sagt ihr, sie solle nichts überstürzen, viele hätten solche Krisen, das sei normal, es wäre schade um sie, sie sei so begabt für diesen Beruf. Wir besprechen miteinander ausführlich, was dieser Traum ihr alles zeigt. Sie ist nun daran interessiert, die Geschichte ihrer Beziehung zu den Eltern zu verstehen. Welch große Entwicklung hat sie gemacht seit der ersten Phase der Therapie, denke ich, als wir uns ein weiteres Mal im Medium eines gemeinsam gedeuteten und verstandenen Traums begegneten. – Sie bricht die Ausbildung noch nicht gleich ab, geht aber in die Akademische Berufsberatung, wo sie sich schon öfter Unterlagen geholt hat, um ein weiteres Mal der Frage ihrer Berufswahl nachzugehen. Nach einigen Wochen ist sie, ohne ein neues Berufsziel vor Augen, plötzlich ganz entschieden: Sie beendet die Pflegeausbildung. Und überhaupt, jetzt will sie einfach mal Geld verdienen, richtig viel verdienen, will von zu Hause weg und völlig unabhängig sein. Sie läßt sich in einer großen Immobilienfirma anstellen, dort kann sie sich unter interessanten Bedingungen als Sekretärin ausbilden lassen. Plötzlich ist da also ein großes Interesse für diese Welt des Vaters, der selbständiger Immobilienkaufmann ist. Sie ist sehr tüchtig, man verspricht ihr einen guten Aufstieg. Ehrgeiz erwacht auf diesem Gebiet, das ihr bis dahin völlig fremd war. Am Ende des Gesprächs berichtet sie noch beiläufig, daß sie einen Freund habe, Hans, einige Jahre älter als sie, selbständiger Immobilienkaufmann wie ihr Vater, »und er hat so richtig gegerbte Haut von der Berührung mit dem Leben, und er kann so herrlich genießen.« Bildung hat er keine, aber das suche sie ja gar nicht. Corinne hat nach der Mutter wieder den Vater gewählt ... auch die Seiten des Vaters in sich selbst entdeckt. Sie hört jetzt auf mit den Gesprächen mit mir – vielleicht brauche sie mich wieder einmal, meint sie beim Weggehen.

Es vergehen ungefähr zwei Jahre. Ein Anruf von Corinne. Wieder ein Traum. Sie kommt. Sie ist nun sehr elegant gekleidet, eine junge Dame in guter Position, Verantwortung gewohnt, selbstsicher. Sie wohnt mit dem Freund zusammen, es gehe ihnen sehr gut ... bis zu diesem Traum, den sie vor kurzem hatte:

Ich bin mit meinem Freund Hans ausgegangen, wir essen sehr gut und sind zufrieden, es sind viele gut aufgelegte Leute da. Es wird auch Musik gespielt, heitere Volksmusik, wie sie Hans gern hat. Plötzlich sehe ich in der Menge drin ein Gesicht, und trotz der vielen Leute, dem Hin-und-Her in der Masse muß ich unverwandt hinschauen. Es ist das Gesicht eines jungen Mannes. Er schaut mich so intensiv an, daß sich in mir drin alles in Bewegung setzt, es steigen mit Wucht Gefühle in mir auf, Bilder, Regungen, die ich nicht benennen kann. Ich bin wie gebannt von diesem Gesicht und von meinem inneren Erleben. Plötzlich weiß ich, es ist Felix, mein erster Freund, mit dem ich damals musizierte und diskutierte, der viel las, für den ich aber keinen Platz hatte neben der Mutter ...

Der Traum läßt sie nicht mehr los. Schon bevor sie sich bei mir meldet, schreibt sie Felix. Er schreibt zurück, sehr herzlich, freut sich von ihr zu hören. Er ist noch im Studium, lebt in einer glücklichen Partnerschaft, es geht ihnen gut. – Dann ist es nicht dies, denkt Corinne. Wir versuchen nun, zusammen zu verstehen, warum dieses »Erdbeben« über sie gekommen ist. Ja, sie hat eine ganze Welt in sich aufgegeben, das Musizieren, das Malen, das Schreiben, das Lesen, alles hat sie aufgegeben für Hans, mit dem sie nichts von dem teilen kann. Ist es nicht die Welt der Mutter, die sie radikal aufgegeben hat, um mit dem Vater zusammen zu sein? Sie überlegt, das muß Platz haben in der Partnerschaft mit Hans, sonst verhungert sie. Sie will für einige Zeit wieder zu mir zum Gespräch kommen und versuchen, wieder zu musizieren, auch Tagebuch zu schreiben, wieder die Musik zu hören, die für sie wichtig ist und nicht nur Volksmusik, wie Hans sie hören will – die in der Traumbegegnung aufgerüttelte andere Seite in sich wieder leben lassen. Wir arbeiten nur zwei, drei Wochen zusammen, dann findet sie, daß es ihr doch »zuviel« sei, und Hans sehe das auch nicht gern, wenn sie zu mir komme. Ich spüre, daß ihr eine Ahnung kommt, noch wagt sie nichts anzuschauen und auszusprechen. Auch der Vater-Partner ist ihr vielleicht zum Käfig geworden.

Nach einem knappen Jahr meldet sie sich wieder. Wieder ein Traum, der ihr keine Ruhe läßt:

Ich schwimme nackt in einem Fluß, der in Richtung des Dorfes zieht, in dem ich aufgewachsen bin. Ich fühle mich frei und wohl, aber das Wasser ist trüb, darum möchte ich hinaus. Ich schwimme auf das Flußufer zu und steige dort die Böschung hinauf. Da steht Hans, mein Freund. Er hält ein großes leuchtend rotes Badetuch in den Händen, er kommt damit auf mich zu und wickelt mich fürsorglich und zugleich leidenschaftlich in das Tuch ein. Ich schmiege mich an ihn, es ist gut, daß er da ist. Dann aber hebe ich mich ab von ihm, stehe fest in mir und sage zu ihm: Ich gehe jetzt zu mir heim, ich will die Matura machen.

Sie erwacht und fühlt einen schrecklichen Trennungsschmerz. Sie wehrt sich, das ist ja Quatsch, ich habe die Matura doch schon lange gemacht (sie ist jetzt 26). Sie versucht, den Traum zu vergessen, doch es gelingt ihr nicht.

Wir begegnen uns ein weiteres Mal in einem gemeinsam verstandenen Traum. Ich habe das Gefühl, daß sie mich auf einer Basisebene fragt: Sind Sie da? Trägt dieser Grund sicher, gibt er Geborgenheit, wenn ich das brauche? Wir sprechen nicht lange über den Traum. Corinne hat intuitiv alles verstanden. Sie schluchzt, sie möchte sich hinlegen, dort bleibt sie bis zum Ende der Stunde, sie mag nicht sprechen, immer wieder schüttelt sie der Schmerz. Ich lasse sie weinen, sie weint im Raum unserer Beziehung. Ich erinnere mich: Auf dieser Couch hat sie vor sieben Jahren geweint, als sie verstand, daß sie den Vater umgebracht hatte ...

Sie trennt sich von ihrem Freund. Sie setzt sich nochmals mit ihrem Beruf auseinander. In einem längeren Prozeß entschließt sie sich, ein Pädagogik- und Psychologiestudium zu machen. Sie möchte einmal mit Kindern arbeiten und damit auch ihre musische Begabung verbinden. Wieder kommt sie während längerer Zeit regelmäßig zu Gesprächen. Sie hat neben der schon immer bestehenden intuitiven Begabung eine große analytische Fähigkeit entwickelt und kann nun dieses geschichtliche Gewebe aus Mutter- und Vaterbindung, aus Anteilen von beiden Eltern in sich, die sie ausprobiert hat in der Partnerbindung und in der Berufswahl, diese Anteile, die ihr unvereinbar und unmöglich zu verbinden schienen, verstehen. »Jeder für sich allein ist mir ein Freund – Vater wie Mutter – aber zusammen ertrage ich sie nicht. Ich kann sie nur in einem langen Prozeß in mir selbst verbinden, nur in mir kann ich sie versöhnen.«

Sie schreibt jetzt viel, musiziert wieder, malt intensiv. Einige Bilder bringt sie mit, um sie mit mir zu besprechen. Am Horizont taucht ein neuer Freund auf, sie sucht keine Beziehung, sie möchte jetzt ein wenig allein leben. Aber sie bemerkt doch, daß er Wesenszüge ihres Vaters und ihrer Mutter verbindet in seiner Art ... Die religiöse Dimension, die bei der Mutter außer dem »Lebensersatz« auch einen echten Kern zu haben scheint, erwacht wieder und wird auf einer neuen Ebene gelebt: Sie interessiert sich intensiv für feministische Theologie, liest viel und setzt sich auf dieser Ebene nochmals mit der Welt der Mutter auseinander.

Kurz vor Beginn des Universitätsstudiums kommt sie mit zwei Bildern. Ihr Erleben war beim Malen so intensiv, daß sie mir die Bilder zeigen will. Sie wußte nicht, was sie malen wollte, es entstanden ein Bild in Blau, ein Bild in Rot – sie sind wie schroffe wilde Felswände. »Aber«, sagt sie, »auf einmal habe ich gemerkt, daß auf diesen Felsen ein Gesicht ist, in Eis, wie erstarrt.« – Sie zeigt das Bild in Blau: ein zu Eis erstarrter Schmerz und Tränen, die gefroren sind, und hier, auf dem roten Bild auch, ein Gesicht im Blut, blutige Tränen. »Und es stieg ein so schrecklicher Schmerz in mir auf wie vielleicht noch nie im Leben. Das *innere* Antlitz meiner Mutter, das Antlitz ihres wirklichen Leidens, so war es in mir die ganze Zeit. Sie hat nie sie selbst werden können neben meinem Vater – und ich habe neben Hans beinahe das gleiche Schicksal gewählt«. Wir schauen zusammen dieses Antlitz an, ich spüre, wie in diesem Augenblick Geschichte fließt, Gestalt annimmt, diese lockere Gestalt, die ein Leben lang veränderbar sein wird. – Corinne sagt: »Nun werde ich nicht mehr zu Ihnen kommen«, wir wußten beide, ein Wegstück war abgeschlossen. Sie rollt die Bilder zusammen und nimmt Abschied.

Corinne meldet sich nach dem Studium doch noch einmal. Sie lebt seit einiger Zeit in einer Partnerbeziehung, die für ihren Partner und sie zu einer verbindlichen Lebensbeziehung geworden ist, und sie möchten auch Kinder. Sie will in dieser Situation mit mir zusammen nochmals ihre Geschichte und ihre Zukunft anschauen. – Bei dieser Gelegenheit erzählt Corinne, daß ihre Mutter eine ganz unerwartete Weiterentwicklung gemacht hat. »Sie hat ihre früher nie gelebte künstlerische Begabung entdeckt, und sie beginnt, sie zu verwirklichen, sie malt und schreibt – und ist jetzt, trotz des reiferen Alters, kaum mehr krank. Sie hat in einem Theologen ihrer Kirche einen Gesprächspartner gefunden, der sie in ihrer Weiterentwicklung verstehend begleitet. Nun geht es eigentlich den Eltern auch in der Beziehung besser«. Es beeindruckt mich, wie Corinne, indem sie mutig ihren Weg durch Ablösung und Befreiung gegangen ist, nun ihrer Mutter etwas von ihrem eigenen Weg mitgeben kann, und damit beiden Eltern etwas »zurückgibt«. Wir erinnern uns: Corinne hat im Malen ihrer blauen und roten Schmerzensbilder den tieferen Sinn des Leidens ihrer Mutter plötzlich verstanden und intenisv durchlitten, sie hat ihn dadurch gedeutet und »befreit«. Wir dürfen annehmen, daß der »befreite Sinn« des Leidens auch der mit ihr im Unbewußten immer noch stark verbundenen Mutter ein anderes Verstehen und ein Aufbrechen zu neuen Zielen ermöglicht hat.

Geschichtlichkeit, in diesem therapeutischen Prozeß, ergibt sich aus einem Zusammenwirken von Begegnung, vor allem im Medium gemeinsam verstandener Träume, von »Lebensexperiment« in Partnerschaft und Beruf und reifer analytischer Reflexion. Zum Zeitpunkt der ersten therapeutischen Begegnung holt Corinne ein Stück innerer und noch nicht verstandener Lebensgeschichte aus der Vergangenheit in die Gegenwart in der Form ihres Traumes vom Vater. Die therapeutische Begegnung vollzieht sich hauptsächlich im Medium des Traumverstehens. Diese Form bleibt über acht Jahre die Begegnungsform: Corinne meldet sich nur, wenn sie geträumt hat und das Du der Therapeutin braucht, um in einem dualen Raum ihren Traum zu verstehen. Es sind dann immer Initialphasen einer neuen Entwicklung. Zum Abschluß macht sie eine einjährige Phase intensiver analytischer Arbeit.

Ich habe diese Form des Arbeitens mit Corinne zum ersten Mal erlebt, dieses Zusammenwirken von therapeutischer Begegnung, »Lebensexperiment« und analytischer Reflexion. Sie hat mich so überzeugt, daß ich jungen Menschen gern diese Form therapeutischer Begleitung anbiete, vorausgesetzt, es sind nicht schwere, den Lebensvollzug blockierende Störungen da. Auf der Grundlage einer guten Beziehung ist dann eine »Therapie in Phasen« möglich. Ich habe verstehen gelernt, daß der junge Mensch seine innere

Lebensgeschichte gestaltet und verstehen lernt, indem er Zukunft entwirft. Es ist eine durch Experimentieren entstehende Geschichtlichkeit. Es ist gut, wenn wir als *der Andere, der sie kennt* und verstehend da ist, sie begleiten können, wenn sie das wünschen, sie aber auch gern entlassen, wenn das Experiment eines Selbstentwurfs lockt.[6]

Viviane

Mit einem letzten Beispiel möchte ich zeigen, welche Form Begegnung annehmen kann, wenn wir jemanden sozusagen durch die Wüste der Begegnungsunfähigkeit und der Geschichtslosigkeit begleiten.

Viviane kommt zum ersten Gespräch und ist deutlich von einer Überdosis Beruhigungstabletten benommen. Sie ist sehr elegant gekleidet, mit ausgeprägtem savoir-vivre, eine dreißigjährige Dame mit betontem gesellschaftlichem Selbstbewußtsein. Sie will keine Therapie, schon gar keine Analyse, weil sie befürchtet, dadurch von mir abhängig zu werden. Sie will nur gerade ihre Partnerprobleme besprechen, sonst gar nichts, sie hat sonst auch keine Probleme. – Sie hat eine »verfügbare Biographie« bereit, wo alles klar ist. Zweitälteste von fünf Geschwistern, immer im Schatten der älteren Schwester, die als Genie galt, einzige unter den Geschwistern, die nicht Akademikerin geworden ist, sondern *nur* Sekretärin. Der Vater ist Fabrikant, sie seine Chefsekretärin. Die Eltern verstehen sich nicht gerade gut, sind oft zerstritten, aber zwischendurch immer wieder unzertrennlich. »Sie haben Partnerprobleme?« – »Ja eigentlich nicht so schlimme, ich hatte eine jahrelange Partnerschaft, da war ich noch jünger. Es ging gut, aber doch mußte ich zweimal in die Klinik.« – »Sie waren in der Klinik?« – »Ja, nach Suizidversuchen. Wir haben die Freundschaft aufgelöst.« – »Und jetzt?« – »Es ist immer so das Gleiche ... Irgendwann nehme ich Beruhigungstabletten, weil ich Ruhe haben will, manchmal auch, weil ich nicht mehr leben will. Aber sonst geht's eigentlich gut.« – »Und Sie haben immer Tabletten?«

– »Ja, der Arzt verschreibt sie mir, weil ich nicht ohne sie leben kann, Valium oder so.«

Ich gehe auf ihren Wunsch einer »Beratung« ein, wohlwissend, daß höchstens eine tiefgehende Begegnung hier etwas verändern kann, und dann ist es ja gleichgültig, wie wir es nennen, Beratung, Therapie oder Analyse. Wir vereinbaren ein Gespräch pro Woche.

Das war der Anfang einer langen, für mich als Therapeutin immer wieder frustrierenden und entbehrungsreichen therapeutischen Arbeit. Viviane kommt einmal pro Woche, erzählt ihre Erfahrungen, vor allem ihre intimen Erfahrungen, aber sie erzählt sie nicht mir, sondern einer Wand, die zwischen uns ist. Ich bin auf der anderen Seite dieser Wand und kann sie mit meinen Worten nicht erreichen. Ich baue mir ein inneres Bild auf von diesem Menschen, mit dem ich leide und den ich doch nicht erreichen kann. Es ist immer die gleiche Erfahrung: Viviane sucht mit jedem ihrer häufig wechselnden Partner sehr schnell die sexuelle Intimität. Sie blüht *vorher* auf in der Erwartung, daß »es« (ein Glück, etwas Unbekanntes, Großes) kommen werde, einmal, nein diesmal kommen werde, sie *erlebt* dann im Orgasmus übermächtig und sozusagen *gleichzeitig Erfüllung und totale Abweisung*. Dann will sie sich selbst vernichten, sie ist ein Unwert, und sie schluckt eine Unmenge Tabletten. Sie soll nicht mehr sein. – Sie kann das nicht mitteilen, sie wirft es an diese Wand hin, hinter der ich bin. Oder vielleicht entsteht doch etwas? Ob sich etwas verändert? Ihre Familie mischt sich ein, nachdem Viviane mehrmals mit Tablettenvergiftung im Spital war, was *ich* denn mit ihrer Tochter mache? Es ist eine starke Aggression, die sie jetzt wenigstens von der Tochter abziehen, die da wagt, krank zu sein, und dafür auf mich schleudern. Ich fühle, wie ich beginne, Viviane fürsorglich zu umhüllen. Wenigstens in mir verändert sich etwas, ich beginne wahrzunehmen, welch hilflos wimmerndes und nicht aufgenommenes Neugeborenes in ihr hungert nach dem Angenommensein. *Zu einem Wert werden. Oder sich auslöschen* ... Das ist meine Begegnung mit ihr, das innere Bild, das sie in mir aufbaut. Ob sich in ihr etwas verändert? Ich kann nichts wahrnehmen. Es ist eine entbehrungsreiche Wanderung durch die Wüste, ich weiß nicht, ob wir irgendwo und irgendwann ankommen werden. Das Zusammensein mit Viviane beansprucht meine ganze Gegenwärtigkeit und Kraft, obwohl scheinbar nichts geschieht. Erst als ich Jahre später Benedettis Gedanken begegnete, begann ich zu verstehen, daß das fast unerträgliche Leiden, das ich im Zusammensein mit Viviane erlebte, darauf hindeutet, daß ich ihr Leiden übernommen hatte und austrug in mir (Benedetti 1992).

Es sind schon beinahe vier Jahre Therapie vorbei, da ruft mich Viviane mitten in der Nacht an: »Lassen Sie mich endlich sterben! Warum lassen Sie mich nicht sterben? Lassen Sie mich los, damit ich endlich sterben kann ...« Sie schluchzt aus der Tiefe heraus immer nur diese Worte. Ich bin sehr still, voll bei ihr. Was sollte ich sagen? Dieses Leid ist für Worte zu groß. Warum lasse ich sie nicht sterben, sich selbst aufgeben? Ich fühle eine Antwort in mir, eine Kraft des Lebens, die größer ist als ich, ein Ja zu Viviane, das ein bedingungsloses Ja ist. Das Schluchzen geht über in ein Wimmern, das Wimmern eines Säuglings, dann atmet sie nur noch, unregelmäßig, dann immer stiller. Wir sind so beieinander, ich weiß nicht wie lange. Nach langer Stille fragt sie: »Sind Sie noch da?« – »Ja, Viviane, ich bin da.« Sie sagt: »Ich gehe schlafen.«

Ich bin erfaßt von etwas, das ich nicht ausdrücken kann. War es eine Geburt in der Wüste? Ich diene dem Leben. –

Viviane ist nachher außerordentlich erschöpft. Sie will in eine Klinik, um ruhig zu werden und sich zu erholen. Sie läßt sich durch den Hausarzt anmelden, die Klinik bezieht mich als Therapeutin ein in ihre Arbeit. Viviane kümmert sich in der Klinik sehr bald um andere Patienten, denen es schlechter geht als ihr, sie entfaltet ein ausgesprochen starkes Sozialgefühl. Nach drei Monaten kommt sie zurück. Sie beginnt eine soziale Ausbildung. Sie verläßt das väterliche Unternehmen und arbeitet im Sozialbereich.

In der Therapie setzt eine ganz neue Phase ein. Viviane beginnt zu träumen. Während der ganzen Therapiephase hatte sie keinen Traum erinnert, so stark muß sie ihr Unbewußtes abgespalten haben. Sie ahnt, was geschehen war, als sie geboren wurde. Sie erkennt ihn nun, diesen Schmerz, auch diese Sehnsucht, im Orgasmus zu verschmelzen und endlich sich als Wert zu erleben im Angenommensein. Sie ahnt nun, daß ihre innere Geschichte damals begann, sehr früh ... Sie hört innerlich ihre Mutter: ... »Es war schon vorher, schon während der Schwangerschaft, ich wollte dich nicht mehr, dein Vater war im Gefängnis (im Frankreich der Nachkriegsjahre), der ganze Ort ausgebombt, ich war überfordert. Du kamst und hast nicht einmal geschrien, du warst blau ... ich konnte dich nicht annehmen. Dann kamen sofort die Sorgen, um deinen Vater freizubekommen. Ich selbst war ausgebombt.« Viviane überlegt. »So war es bei mir am Anfang, aber später war sie auch immer so: zärtlich, zugewendet und dann plötzlich ausgebombt. Es war kein Verlaß.« Viviane setzt sich auch mit dem inzwischen verstorbenen Vater innerlich auseinander. Sie begegnet ihm in Anklage, in Wut, dann fragend, dann wieder verstehend. So entsteht ihre innere Geschichte, ein Gefüge von immer neuem Sinn. Sie trägt die Sinnelemente ihrer Lebensgeschichte aktiv zusammen, aus Gesprächen, aus dem innerem Dialog, aus Träumen. Sie hungert sozusagen nach dem Erfassen ihrer inneren Erlebensgeschichte. Anstelle der verfügbaren Biographie lebt nun eine Sinngeschichte auf in ihr, eine Geschichte, die nicht nur vergangenen Sinn erschließt, sondern neuen, zukünftigen Sinn erst ermöglicht. Viviane lebt.

Bei Viviane habe ich miterlebt, was es heißt, nur eine äußere Lebensgeschichte zu haben, Daten und Fakten, die verfügbar sind. Es mögen viele Anteile der Person sehr gut funktionieren (bei Viviane die ganze gesellschaftlich erschaffene Persönlichkeit). Doch die lebendige innere Lebensgeschichte als Sinnzusammenhang, sie kann nur entstehen in der Begegnung.

Zehn Jahre später schickt mir Viviane zwei Photos von sich, ein altes aus der Zeit unmittelbar vor Therapieaufnahme, ein neues aus Anlaß ihres vierzigsten Geburtstags. Sie schreibt dazu: »Schauen Sie diese beiden Gesichter an, ein neuer Mensch bin ich geworden durch Sie«. Sie lebt seit Jahren in einer nicht konfliktfreien, aber lebendigen Partnerschaft. Sie kommt in sehr großen Abständen zu einem Gespräch, wenn sich in der Partnerschaft, im Beruf, in der Selbstbegegnung frühere Konflikte andeutungsweise wieder zeigen. Innerhalb ihrer Grenzen, die sie kennt und akzeptiert, lebt sie eine kontinuierliche lebendige Weiterentwicklung.

Ich habe versucht, anhand dreier Therapien etwas vom Wesen der therapeutischen Begegnung und ihrem Zusammenhang mit unserer inneren Lebensgeschichte freizulegen. Ich habe diese drei Therapien gewählt, weil sie mir paradigmatisch scheinen für viele andere. Bei Stefan konnten wir verschiedene Dimensionen der Begegnung, ihre Vielschichtigkeit wahrnehmen, und es zeigte sich sehr deutlich, wie in einer therapeutischen Begegnung ein Mensch seiner inneren Lebensgeschichte innewerden kann, daß erstmals eine innere Lebensgeschichte konstruiert wird, Gestalt gewinnt, ein Sinngebilde entsteht. Dies ist ja keineswegs nur auf junge Menschen beschränkt, erleben wir doch oft dieses erstmalige bewußte Wahrnehmen der inneren Lebensgeschichte und ihres Sinngefüges in Therapien auch älterer Menschen.

In Corinnes Therapie dagegen zeigt sich wohl eine für jüngere Menschen typische Verbindung von Begegnung und Geschichtlichkeit. Der junge Mensch entwirft sich selbst in die Zukunft hinein, in Berufswahl, Partnerwahl, Lebenswelt, Wertwelt. Im Versuch, diese Entwürfe zu realisieren, kann er sich verstehen als ein in einer inneren Entwicklungsgeschichte Gewordener und Werdender. Er kann die Art seiner Elternbeziehung verstehen, ihre Auswirkung auf sein Verhalten, die Geschwisterkonstellation, die Lebenswelt zu Hause, die Wertwelt und vieles mehr. Er kann an Grenzen kommen, Eingegangenes zurücknehmen, neue Selbstentwürfe machen, andere Wege suchen. Er wird nach und nach den inneren Dialog aufnehmen mit seinen inneren Eltern und anderen wichtigen prägenden Beziehungsgestalten, die er verinnerlicht hat. Für diese inneren Begegnungen braucht er, oft nur phasenweise, den Begegnungsraum der therapeutischen Beziehung. Eine therapeutische Begegnung ist darum oft punktuell, ein Aufsuchen *des Anderen, der mich kennt*, der da ist, wenn ich ihn brauche, der meine stürmischen Entwicklungen versteht, und der mich ohne Fragen jeweils wieder entläßt in meine Welt, in mein Lebensexperiment. So kann der junge Mensch autonom sich selbst gestalten, der therapeutische Raum ist dann ein verläßlicher, aber kaum wahrgenommener »Hintergrund« für seine Selbstwerdung.

Vivianes Therapie und die Art von therapeutischer Begegnung mag beispielhaft stehen für die Therapien, in denen zuerst scheinbar keine Begegnungsfähigkeit da ist und keine innerlich zusammenhängende Lebensgeschichte als Sinngeschichte möglich scheint. Die therapeutische Begegnung ist dann ein dualer Leidensweg, ein Weg durch die Wüste. Er kann, durch den gemeinsamen Schmerz hindurch, wie bei Viviane zu jenen Quellen des Unbewußten führen, in denen Geschichte ihren Anfang nimmt.

Schließlich wäre es sinnvoll, auch bei Therapien von Menschen in einem höheren Lebensalter die Begegnungsfähigkeit und ihre Interaktion mit der inneren Lebensgeschichte zu erfassen. Da ich selbst keine solche therapeutische Erfahrungen habe, möchte ich hier auf eine in Freundschaft miterlebte Begegnung zweier Menschen im hohen Lebensalter hinweisen. Zwei geistig wache, über achtzigjährige Menschen, beide seit längerem verwitwet, erblindet der Mann, stark sehbehindert die Frau, die sich begegnen vier Jahre vor dem Tod des blinden Partners. »Wir können uns nur noch mit der Seele sehen«, sagt mir einmal der Erblindete, »und es ist uns nur noch wenig Zeit gegeben«. Es ist eine Begegnung der »sehenden Seelen« von größter Intensität, zwei innere Lebensgeschichten, die aufeinander zudrängen, sich verweben, jede erhält von der anderen neue Sinndimensionen. Für beide scheint sich in dieser liebenden Begegnung eine neue und letzte Sinngestalt der inneren Lebensgeschichte zu formen.

Begegnung, Beziehung, Übertragung und innere Lebensgeschichte

Therapeutische Begegnung

Anhand der drei Therapien haben wir versucht, den Zusammenhang von innerer Lebensgeschichte mit dem therapeutischen Begegnungsgeschehen zu sehen. Dieser phänomenologischen Annäherung schließen wir einige Überlegungen an.

Das therapeutische Geschehen zeigt uns, daß Begegnung ein Erkenntnisprinzip des Psychischen ist (D. von Uslar 1987). In und durch Begegnung erkennen sich zwei Menschen gegenseitig, und sie beginnen, sich gegenseitig zu erschließen. Wir erweitern darum die erste Aussage und heben hervor, daß Begegnung ein *dialogisches Erkenntnisprinzip* ist, ein Erkennen und Erkannt-Werden im intersubjektiven Geschehen. Dies gilt in ganz besonderer Weise im therapeutischen Raum.

Welche Aspekte sind besonders bedeutsam in der therapeutischen Begegnungserfahrung? Betrachten wir die therapeutische Begegnung als Prozeß, wie wir ihn im therapeutischen Raum wahrnehmen können. Im Umfeld der Begegnung entsteht eine Wahrnehmung für die hohe Relevanz des Geschehens. Es wirkt eine Grundkraft, die wir mit *Erwartung* umschreiben könnten. In der Dynamik des Erwartens verwirklicht sich schon eine Art Vor-Begegnung, wie wir dies vor allem bei Stefan sahen. Das Warten ist auf etwas ausgerichtet, es öffnet sich eine Perspektive auf etwas Zukünftiges, das *jetzt* beginnt. Schon die Vor-Begegnung als

Erwartung setzt etwas in Bewegung, verändert verfestigte Perspektiven. Es geschieht Öffnung, eine Art Aufbrechen, sich Einstellen auf Neues. In diesem Offen-Werden erwachen Wunsch und Sehnsucht, die eine Bewegung sind von mir auf den Anderen zu. Mehr sein, lebendiger sein sind dynamische Wünsche, die schon im Vorfeld einer Begegnung, in der *Begegnungserwartung*, als eine Art »Seinshunger« aufbrechen können. Oft beschreiben Klienten ihr Erleben sogleich nach ihrer Anmeldung, also noch vor dem ersten therapeutischen Gespräch: Sie fühlen, daß sich etwas in Bewegung setzt, daß sie sich selbst plötzlich anders wahrnehmen können, wie wenn ein neuer Weg schon begonnen hätte.

Die tiefenpsychologisch orientierte therapeutische Begegnung richtet ihre besondere Wahrnehmung auch auf die unbewußten Dimensionen des Begegnungsgeschehens. Wir können in dieser Sichtweise den Begriff der Erwartung ausweiten und von einer *Tiefenerwartung* sprechen. In der therapeutischen Begegnungssituation sind die unbewußten Tiefenschichten der Person hoch aktiv mitbeteiligt (vgl. Benedetti 1992). Auch diese Tiefenperson ist in einem Zustand des Erwartens, verfeinert ihre Wahrnehmung, sendet und empfängt Signale und verleiht ihnen Bedeutung, die noch kaum bewußt, eine starke Dynamik entfaltet. Gerade die *Wunschkraft* als Begegnungsdynamik bricht aus solchen Tiefendimensionen auf und bringt den ganzen Menschen in Bewegung.

Ein weiterer wichtiger Aspekt könnte so umschrieben werden: Es geschieht in jeder tiefergehenden therapeutischen Begegnung ein *existentieller Austausch*. Benedetti (1982, S. 34f.) spricht von einem »Sich Durchdringen« in einer »existentiellen Kommunikation«. In einem existentiellen Austauschprozeß werden Anteile des Anderen integriert, und jede Integration führt zu einer Neudeutung und Ausweitung meines Selbstseins. In einem solchen Begegnungskonzept wird die Dynamik der Veränderung und des Wachstums in besonderer Weise hervorgehoben.

In der tiefenpsychologischen Sichtweise von Begegnung wird das Phänomen der *inneren Begegnung* besonders bedeutsam. Durch die Verinnerlichung des Anderen, die weitgehend im Raum des Unbewußten geschehen kann (vgl. Benedetti 1992), wird der Andere zu einer lebendigen Wirklichkeit in mir, unabhängig von seiner konkreten Gegenwart. Ich beginne mit ihm zu sprechen, setze mich mit ihm auseinander, liebe ihn, hasse ihn, ich suche ihn immer neu zu erfassen. Der verinnerlichte Andere ist eine Wirkkraft, die mich umgestaltet. In der inneren Begegnung beginne ich darum auch, mich selbst neu zu erfassen, ich kann mich als in Beziehung stehendes und doch abgegrenztes Wesen in der Gegenwart dieses inneren Du neu definieren.

Diese Aspekte scheinen mir für die tiefenpsychologische Betrachtung der therapeutischen Begegnung wesentlich. Dabei werden die Begriffe Beziehung und Übertragung nicht ausgeschlossen, sondern sie sind darin enthalten.

Beziehung als das tragende kontinuierliche Element, das Menschen verbindet, ist auf Begegnung angewiesen. Nur durch immer neue Begegnung bleibt Beziehung lebendig, nur wenn sie offen ist dem Neuen, dem Unerwarteten, kann Beziehung sich erneuern. Dann ist es möglich, den Anderen, den schon längst Erkannten, neu zu entdecken, neu zu lieben. Dies gilt in besonderer Weise für das therapeutische Geschehen. Durch keine Theorie machbar und planbar, durch keine Diagnose endgültig festgelegt, läßt die therapeutische Begegnung Raum für das Unerwartete, das Überraschende, das dem Lebendigen zu eigen ist. Heilende Beziehung ist immer wieder heilende Neu-Begegnung.

In jeder Begegnung, auch außerhalb von Therapien, geschieht *Übertragung*, wir tragen immer frühere Beziehungserfahrungen in neue Beziehungen hinein. Beziehungserwartung, Beziehungsoffenheit und Beziehungsgestaltung sind wesentlich von diesen früheren Erfahrungen abhängig. Konzentrieren wir uns auf das Geschehen mit dem Begriff der Übertragung, können wir Wesentliches des therapeutischen Prozesses wahrnehmen[7], und wir sehen den engen Zusammenhang von Begegnung und Übertragung. Es sind also beide Begriffe, Beziehung wie Übertragung im Begriff der therapeutischen Begegnung enthalten, und doch umschließt er mehr und legt andere Aspekte einer grundlegenden therapeutischen Erfahrung frei.

Begegnung und innere Lebensgeschichte

Geschichte, die wir haben – Geschichte, die wir leben

Wir sprechen von einer Biographie, die wir *haben* und verstehen darunter eine Lebensgeschichte, die sich aus Daten, Fakten, Ereignissen durch faktische und Kausalzusammenhänge darstellen läßt. Es ist die verfügbare Biographie, eine Geschichte von Daten und Fakten, die abrufbar bereitliegen und somit auch festgehalten und vorgewiesen werden können. Wir sprechen aber auch von einer *inneren* Lebensgeschichte, die wir nicht haben und über die wir nicht verfügen, sondern die wir *leben* oder *erleben, durchleben*. Es ist die Geschichte unseres Erlebens, das emotional-kognitiv gedeutet wurde und immer neu gedeutet wird. Was wir also *leben*, ist eine innere Lebensgeschichte, die ihre Gestalt durch Erlebensqualität, durch Sinn- und Bedeutungszusammenhänge erhält. Innere Lebensgeschichte ist eine Sinn-Geschichte und sie ist deshalb veränderbar. Neue Sinnerfahrung in der Gegenwart ermöglicht das Wahrnehmen von neuen Bedeutungszusammenhängen in der inneren Lebensgeschichte. Innere Lebensgeschichte hat eine fließend veränderbare innere Gestalt bei gleichbleibenden äußeren biographischen Fakten.[8]

Begegnung als geschichtsverändernde Kraft

In diese innere Kommunikation von Gegenwärtigem mit Vergangenem und Zukünftigem wirkt jede tiefergehende Begegnung hinein als geschichtsverändernde Dynamik. Darum ist es richtig zu sagen, daß die Geschichte unseres Lebens in einem gewissen Sinne die »Geschichte unserer

Begegnungen« (D. von Uslar 1987) ist. Begegnung wirkt als *Sinnstifter*, sie erschafft neuen Sinn, unerwarteten Sinn vielleicht und ermöglicht so neue Sinngebung für vergangenes und gegenwärtiges Erleben, und sie öffnet so neue Perspektiven für noch zu erwartendes, erhofftes Erleben.

In der Begegnung wird die innere Lebensgeschichte dualisiert, wird zu einer Geschichte, die ich im Blick des Anderen neu erleben kann. Oft wird erst in der Dualisierung die *ganze* Geschichte erstehen: Das Miterleben des Anderen erschließt Dimensionen meines Gewordenseins, die ich allein nicht berühren kann, weil sie an zu große Schmerzen rühren. Dazu gehören auch Dimensionen des ungelebten Lebens, die im Begegnungsraum fühlbar werden und als Schmerz sich artikulieren dürfen. Dazu gehören auch Dimensionen des Möglichen, die sich ausweiten im Miterleben des Anderen und Horizonte der Zukunft öffnen.

Begegnung und innere Lebensgeschichte greifen ineinander: Erlebte Geschichte wird zu einer Sinn-Schöpfung, die sich in der Begegnung konstituiert und sich durch Begegnung verändert. Dies verwirklicht sich in besonderer Weise in der therapeutischen Begegnung: Hier entsteht und verändert sich innere Lebensgeschichte als Sinn-Schöpfung, sie wird neu erlebt, neu gestaltet und reflektiert im Begegnungsgeschehen, wird in einen dualen Raum gehoben.

Teil II:
Am Anfang war der Wunsch ...

> Der Mensch ist Wunsch, bevor
> er Sprache ist. Der Wunsch ist
> am Ursprung der Sprache und
> vor aller Sprache ... Die Sprache
> des Wunsches verstehen ...
> *Paul Ricoeur*

Als wünschendes Wesen trete ich in die therapeutische Beziehung ein, als wünschendes Wesen öffnet sich auch der Klient der Begegnung. Eine therapeutische Begegnung kann als Entfaltung einer *interaktiven Wunschgeschichte* gesehen werden. Es ist eine Wunschgeschichte, in welcher Klient wie Therapeut sich gegenseitig mit Wunsch-Phantasien besetzen und durch ihre Phantasien hindurch sich und den Anderen immer neu entdecken und wahrnehmen. In Übertragung und Gegenübertragung verschränken sich zwei innere Lebensgeschichten als »innere Wunschgeschichten« neu und oft unvorhersehbar ineinander. Die therapeutische Beziehung erhält ihre lebendige Dynamik durch die Intersubjektivität des Wünschens.[9]

Doch wovon sprechen wir, wenn wir vom Wunsch als dialogischer Dimension der Conditio humana sprechen, wenn wir von der Wunschstruktur des Menschen (Schelling 1990) sprechen? Ich will versuchen, in der Dichtung ein Bild des Wunsches und seiner Dimensionen nachzuzeichnen.

Wunsch und Dichtung: zur Wunschstruktur der Existenz

Wolfgang Borchert (1921–1947) hat uns in einem Universum, das die Grundbefindlichkeit des Menschen während und nach dem Zweiten Weltkrieg in all ihrer Verzweiflung darstellt, eine wundersame »Wunsch-Geschichte« hinterlassen. *Die Hundeblume* gehört zu den wenigen Meistererzählungen der deutschen Literatur. Diese Kurzerzählung soll uns in die Phänomenologie des Wunsches einführen.

Diese Blume, ein gelber Löwenzahn, ist auch wie ein Lichtpunkt im Gesamtwerk Borcherts. Die Bilder einer Grundbefindlichkeit »ohne die gelbe Blume« sind von bedrängender Intensität. Sie zeigen das Entsetzen des Menschen, der in eine Welt hineingeboren wird, die ihn nicht erkennt, die ihm seine Lebensberechtigung grundlegend verweigert. So hat es der junge Dichter selbst erlebt und ist daran gestorben, so haben es mit ihm Millionen junger Menschen der Kriegsgeneration erlebt. Der hochbegabte achtzehnjährige Borchert wird gefangen genommen, zum Tode verurteilt, dann »begnadigt« und »nur« an die russische Kriegsfront geschickt. Zurückgekehrt, wieder zum Tode verurteilt, diesmal durch seine schwere Krankheit, zeichnet er die menschliche Grundbefindlichkeit als eine fundamentale Ungeborgenheit.

Wir betrachten zuerst kurz *die Grundbefindlichkeit des Menschen in der Vereinzelung* nach Borchert. Sie ist jene Befindlichkeit, die den Menschen gleichsam mit dem nackten, verletzten Wunsch im Herzen sieht.[10]

Borchert zeigt das menschliche *Ausgestoßensein in Unge-*

borgenheit und Angst. Am Anfang war grundlegende Einsamkeit, Verlassenheit. Die Mutter, »sie hat mich allein geschrien. So furchtbar allein. So allein. Jetzt gehe ich die lange Straße lang. Die wankt von der Welle der Welt«. Ungeborgenheit, Alleinsein, sie bringen die Angst, eine Angst, die den Menschen immer begleitet: »Ein Mensch läuft durch die Straße. Die lange lange Straße lang. Er hat Angst. Er läuft mit seiner Angst durch die Welt. Durch die wankende Welle Welt.« Wir leben aus Angst, ja wir lieben aus Angst: »... alles das haben wir. Aber wir haben es aus Angst. Gegen die Angst haben wir das. Wir lassen uns aus Angst photographieren und machen Kinder aus Angst und aus Angst wühlen wir uns in die Mädchen, immer in die Mädchen, und die Dochte stecken wir aus Angst in das Öl und lassen sie brennen. Alles das tun wir aus Angst und gegen die Angst«.

In dieser Angst bleibt die *Unausweichlichkeit der Selbstbegegnung.* Borchert spricht von dem verzweifelten aber unmöglichen Versuch, vor sich selbst zu fliehen. »Es gibt kein Tal für eine Flucht. Überall treff ich mich. Am meisten in den Nächten. – Und immer ist man hinter sich her ... Aber es gibt kein Tal für eine Flucht. Immer trifft man sich. Überall. Man kann sich nicht entgehen«. Selbstbegegnung wird ein Erleben der Selbstentfremdung, der sich selbst Begegnende ist sich fremd geworden, niemand erkennt ihn und bezeugt seine Identität. »Alles ist so fremd. Auch man selbst«. – *Selbstbegegnung, Selbstentfremdung, Selbstverlust* drücken sich aus im Schrei des Vereinzelten. Der »furchtbare Finsternisschrei« ist »antwortlos«: »Reiß das Fenster auf, schrei hinaus, schrei, schwöre, schluchze hinaus, brüll dich hinaus mit allem, was dich quält und verbrennt: keine Antwort.« »Den stummen fürchterlichen stummen Schrei« hört keiner. Auch die Natur kann nicht antworten, auch sie schreit die gleiche Not der Verlassenheit, auch sie ist der dialogischen Dimension verlustig gegangen: »Und die Wälder schreien nachts ... Und der Schnee schreit.«

In gleicher Weise ist um den namenlosen Einzelnen *eine Welt ohne Gesicht:* »... in dieser Stadt, in der uns keine Stimme anspricht, in der uns kein Ohr gehört und kein Auge begegnet. In dieser Stadt, in der die Gesichter ohne Gesicht an uns vorüberschwimmen, namenlos, zahllos, wahllos. Ohne Anteil, herzlos. Ohne Bleibe, ohne Anfang, ohne Hafen ... In dieser Stadt, wie hier, ohne Baum, ohne Vogel, ohne Fisch: vereinsamt, verloren, untergegangen. Ausgeliefert, verloren an ein Meer von Mauern, an ein Meer von Mörtel, Staub und Zement«, lebt der Ungeborgene »ohne Herkunft, ohne Zuhause. Verschenkt an die antwortlose einsame Nacht in den Straßen ... ausgeliefert mit unserem wehrlosen weichen Stück Herzen«.

Begegnung mit dem Anderen wird zur Flucht, denn »Wir begegnen uns auf der Welt und sind Mensch mit Mensch – und dann stehlen wir uns davon, denn wir sind *ohne Bindung, ohne Bleiben und ohne Abschied.* – Wir sind die Generation ohne Bindung und ohne Tiefe. Unsere Tiefe ist Abgrund«.

Scheu und zaghaft zeigt sich im Universum Borcherts die Hoffnung. »Vielleicht sind wir eine Generation voller Ankunft auf einem neuen Stern, in einem neuen Leben. Voller Ankunft unter einer neuen Sonne, zu neuen Herzen. Vielleicht sind wir voller Ankunft zu einem neuen Lieben, zu einem neuen Leben, zu einem neuen Gott ... Einmal kommt vielleicht eine Antwort«.

In der Erzählung *Die Hundeblume* zeigt Borchert den Wunsch als Beginn des dialogischen Lebens.[11]

Borchert läßt die Situation der Vereinzelung nochmals sichtbar werden. Der Erzähler wird als Gefangener auf unbegrenzte Zeit in eine Zelle gesperrt. Zuerst empfindet der Einzelne seine Mitgefangenen als Leidensgenossen, als Brüder, wenn er mit ihnen im Gefängnishof herumtrottet, »und dann kommt der Tag, wo der Rundgang im Kreis eine Qual wird«, wo »man eingelattet ist als Latte ohne eigenes Gesicht in einem endlosen Lattenzaun«. Der Einzelne hat keinen Namen mehr, nur noch seine Zellennummer.

Er erlebt die Notwendigkeit und Unausweichlichkeit der Selbstbegegnung, die er als »das größte Abenteuer der Welt« betrachtet. »Und nun hat man mich mit dem Wesen allein gelassen, nein, nicht nur allein gelassen, zusammen eingesperrt hat man mich mit diesem Wesen, vor dem ich am meisten Angst habe: Mit mir selbst.« ... Er erlebt, daß Selbstbegegnung ohne Du ein Abgrund ist. »Ich stürzte, mit mir allein gelassen, ins Bodenlose«.

Bei den sinnlosen und entwürdigenden Rundgängen unter Aufsicht im Gefängnishof entdeckt er plötzlich in der Öde einen gelben Punkt. »Auf der Suche nach Lebendigem, Buntem, lief mein Auge ohne große Hoffnung eigentlich und zufällig über ein paar Hälmchen hin, die sich, als sie sich angesehen fühlten, unwillkürlich zusammennahmen und mir zunickten – und da entdeckte ich unter ihnen einen unscheinbaren gelben Punkt«. Es ist eine Blume, ein Löwenzahn, die Hundeblume. Er beginnt sie zu erkennen, sie schaut ihn an. Sie wartet auf ihn in der Mitte des Gefängnishofes, »von wo mir meine Blume ängstlich entgegensah«. Es vergehen Tage, da kann er seiner Blume »kaum einen zärtlichen Blick zuwerfen«. Unter mühseliger Kleinarbeit gelingt es ihm eines Tages, seine Blume heimlich in die Zelle zu tragen. »Er hält in seinen vereinsamten Händen eine kleine gelbe Blume ... Er trug sie behutsam wie eine Geliebte zu seinem Wasserbecher, stellte das erschöpfte kleine Wesen da hinein, er saugt so gierig aus der kleinen gelben Scheibe ihr Wesen in sich hinein ... Eine Zärtlichkeit, eine Anlehnung und Wärme ohnegleichen erfüllt ihn zu der Blume und füllt ihn ganz aus«. Ein Dialog beginnt, alle Sinne öffnen sich, seine Augen trinken das gelbe Licht in sich hinein, seine »hungrige Nase« atmet ihren Duft ein, er spricht seine Blume an, er bleibt »Angesicht in Angesicht mit seiner Blume«. Er »flüstert der Blume zu ... werden wie du«. Er wandelt sie ein in sich, nachts träumt er, »er fühlte im Schlaf, wie sie Erde auf ihn häuften, dunkle, gute Erde ... und wie aus ihm Blumen brachen: Anemonen, Akelei und Löwenzahn – winzige, unscheinbare Sonnen«.

Aus dieser kurzen Erzählung können wir Begegnungsdimensionen des Wünschens ableiten.

Der Wunsch ist gerichtete Lebenskraft und macht die menschliche Existenz offen für ein Du. Der Erzähler ist gefangen, eine Nummer, namenlos. Er läuft sinnlos im Kreis herum: kein Anfang und kein Ende. Ein Bild der menschlichen Grundsituation. In dieser Situation bleibt der Blick offen, mit dem Wunsch »nach etwas Lebendigem«. Der Blick des Erzählenden geht über den sinnlosen Kreis hinaus, in die Mitte. Dort leuchtet etwas auf, ein gelber kleiner Kreis, ein Du. Fortan freut er sich auf die sinnlosen Laufübungen im Kreis. Sein Blick ist auf eine lebendige Mitte gerichtet.

Der Wunsch wirkt als Begegnungskraft. Es beginnt ein Zwiegespräch, die Blume spricht ihn an, grüßt ihn. Er lebt auf sie ausgerichtet. Er verlangt nach mehr Nähe. Er nimmt wahr, daß sie ihn anschaut. Er erlebt die *Dualität des Wunsches.* Im Ansprechen und Angesprochen-Werden lebt die emotionale Dimension der Sprache. Der Dialog mit dem lebendigen Anderen ist zuerst ein Ansprechen und Mitteilen durch den Blick, durch die Gebärde, durch das Tun. Wunschsprache ist eine Vorstufe des Wortes, ein vielschichtiges Geschehen, denn »wir sind Wunsch, bevor wir Sprache sind« (Ricoeur 1993).

Der Wunsch drängt nach Verinnerlichung des Anderen. Die Begegnung aus dem Wunsch führt zu einer inneren Begegnung, zu einer einwandelnden Verinnerlichung des Anderen: »werden wie Du«.

Der Wunsch ist Ursprung des Traumes – Der Wunsch führt zu Sehnsucht. Der Wunsch rührt tiefste Seinsschichten an und weckt darin Traum und Hoffnung. Im letzten Bild des Dichters wird etwas von seinem nahenden Sterben fühlbar. Es brechen aus ihm Blumen, »winzige, unscheinbare Sonnen« ... Dieses Traumbild weist hinaus über das Einzelschicksal in die Tiefen des »Stirb und werde«. Diesem sich selbst transzendierenden Wunsch möchte ich den Namen Sehnsucht geben.

Der Wunsch in der Therapie

Vom Trieb zum Wunsch

Wir können den begriffsgeschichtlichen Wandel des Triebbegriffs kurz zusammenfassen, indem wir auf die Abspaltung des Begriffs aus einer gesamtmenschlichen Sicht hinweisen. Die großen französischen Freud-Interpreten Lacan und Ricoeur haben uns neue Perspektiven eröffnet: Sie entdeckten den Trieb (»impulsion«) sozusagen neu als »désir«.[12] Einmal mehr wird durch die Sprache eine ganze Welt erschlossen. »Désir« als Wunsch, Verlangen, Begehren, auch Sehnsucht wird im Französischen mit dem gleichen Wort ausgedrückt. Der Mensch ist nun nicht mehr ein »Triebwesen«, er wird zu einem »Wunschwesen«, wir sprechen nicht mehr von der Triebstruktur der menschlichen Existenz, wir erfassen seine Wunschstruktur.

Der Mensch als Wunschwesen, die Wunschstruktur unserer Existenz liegt uns menschlich nahe, denn diese Sichtweise spricht eine Sprache, die wir verstehen, sie hebt Erfahrungen hervor, die wir alle kennen und die keiner komplizierten Theoretisierung bedürfen. Verstehen wir nicht uns selbst, unsere Lebensgeschichte, unsere Hoffnungen plötzlich neu und besser, wenn wir unsere Wünsche verstehen: die Wünsche des Kindes damals, die Wünsche an seine Eltern, seine Geschwister, an seine Welt? Die vernommenen Antworten auf diese Wünsche ...; das Ausbleiben der Antworten, das antwortlose Wünschen des Kindes, das wir waren ...; die Wünsche unserer kindlichen Umwelt an uns, vielleicht überfordernd, vielleicht nie klar vernehmbar, doppelsinnig ...; die Wünsche heute, vielleicht vergraben, vielleicht fühlbar ...; die Wünsche an unseren Partner, jene unseres Partners an uns ...; die Interaktionen unserer gegenseitigen Wünsche, die ineinandergreifen, vielleicht konflikthaft, schicksalhaft, einengend, vielleicht befreiend und sich entfaltend ... – diese Wunschstruktur suchen wir zu erfassen.

Therapie als interaktive Wunschgeschichte

Wenn wir als Therapeuten in den Begegnungsraum mit dem Klienten treten, gehen wir als zwei wünschende Wesen aufeinander zu. Unser gegenseitiges Wünschen steuert unsere Begegnung und macht ihre dynamische Kraft aus. Die therapeutische Begegnung wird ein Dialog zweier Wunschstrukturen. Es ist ein Dialog, in welchem sich vorerst und wohl immer wieder unbewußtes Wünschen zweier Dialogpartner gegenseitig ertastet, berührt, intuitiv wahrnimmt. Für uns als therapeutisch Tätige ist es notwendig, daß wir um die Dynamik dieses unbewußten Wünschens wissen, das ja nicht nur das Wünschen des Klienten ist, sondern unser eigenes ebenso einschließt. Wir werden uns für solche Wahrnehmungen sensibilisieren, und mindestens unsere eigenen Tiefenwünsche sollen für uns nach und nach aus dem Unbewußten hervortreten, faßbar und transparent werden. Dann erst können wir ihre Kraft und ihre dynamische Wirkweise erkennen, lenken und therapeutisch nutzen. Wir können – ausgehend von der eigenen Wunschdynamik – den Zugang finden zum Verstehen des interaktiven Geschehens, das sich in der Begegnung zweier Wunschstrukturen ereignet.

Benedetti (1992, S. 162) spricht davon, daß das Unbewußte des Therapeuten »ein Reservoir an therapeutischer Libido« ist, erfüllt vom Tiefenwunsch nach heilender Begegnung und Zuwendung. Andernorts sagt er, daß das »Unbewußte des Therapeuten therapeutisch strukturiert sein kann« (S. 155), daß schon sein unbewußtes Wünschen sich therapeutisch orientiert und so ausgerichtet in die Begegnung eintritt. Er erschließt diese Sichtweise eines therapeutisch strukturierten Unbewußten aus dem Auftauchen von Therapeutenträumen, in denen die Traumphantasien sich darauf ausrichten, was der Leidende in der Begegnung braucht, also Ausdruck eines therapeutisch orientierten Tiefenwunsches sind. In diesem Zusammenhang spricht er von der »primär therapeutischen« (Wunsch-) Phantasie, die darauf ausgerichtet ist, intuitiv zu erfassen, was der Andere in der Begegnung braucht.[13]

Wir suchen zu erfassen, was der Andere in der Begegnung braucht. Wir fragen uns aber auch, was *wir* in der therapeutischen Begegnung brauchen, welches *unsere* Tiefenwünsche sind. Wir brauchen ein gewisses Gleichgewicht dieses interaktiven Wunschgeschehens, um im Beruf unsere Erfüllung zu finden. Ich persönlich nehme vor allem wahr, wie stark mein Wünschen nach ganzheitlichem Erkennen des Anderen ist und danach, mit ihm zusammen seine innere Gestalt herauszuarbeiten. Es ist ein Wünschen, das starke Elemente des Kunstschaffens in sich hat und das auch eine ganzheitliche Entdeckerfreude in mir befriedigt. Ich suche ein Gefühl des Unterwegsseins, gemeinsam mit einem Anderen, und ich bin erfüllt vom Teilhaben am Erleben und Suchen des Anderen. – Ein solches ursprüngliches Sich-Wahrnehmen als »In-seinen-Wunsch-gesetzt-Sein« (Ricoeur) öffnet unsere therapeutische Tiefendimension und setzt Energien frei. Es wirkt auch befreiend auf den Klienten, denn es erweckt auch bei ihm die Möglichkeit, bei den eigenen Wünschen zu sein, sie erwachen zu lassen und sie wahrzunehmen.

Der Wunsch wirkt entscheidend mit bei der therapeutischen Wahrnehmung: *Die Wunschstruktur des Therapeuten bestimmt die Relevanzstruktur seiner Wahrnehmung.* Seine Wünsche »lesen« den Klienten, lesen seine verborgenen und unerschlossenen Möglichkeiten. Wir erkennen den Anderen mit unseren Wünschen, oder wir verkennen ihn mit unseren Wünschen. Die therapeutische Offenheit des Wunsch-Horizonts garantiert auch die Offenheit der diagnostischen Wahrnehmung. Das »Lesen« und Interpretieren des Anderen, diagnostisch und therapeutisch, wirkt mit bei der

Neukonstituition seines Unbewußten. Auch Benedetti (1992) weist immer wieder darauf hin, daß das therapeutische Wünschen das Unbewußte des Klienten neu konstituiert.

Die Befreiung des Wunsches als therapeutisches Grundgeschehen

Zunächst betrachten wir einige Initialträume, die Ausdruck eines Wunsches und damit auch Ausdruck einer Hoffnung sind. Eine junge Klientin sagte zu einem solchen Traum: »Der Wunsch liegt *vor* mir. Er kommt vielleicht aus der Kindheit, nun aber ist er vor mir, und es ist zugleich Hoffnung ...«

Für mich liegt in dieser Aussage einer begabten jungen Frau (Corinne) eine wesentliche Erkenntnis. Der Zusammenhang zwischen dem aus der Kindheit kommenden Wünschen und dem Wünschen, das vor mir liegt, das Gegenwärtige in das Zukünftige hineintragend, scheint mir wesentlich. Wir können darin Grundkräfte des Wünschens sehen, vielleicht als ein Wunsch nach Lebendigsein, nach Selbstsein, nach Seinsausweitung ... Der Wunsch kann sich in Träumen, Initialträumen vor allem, offen ausdrücken; er kann sich aber auch in Bildern und Zeichnungen, in Tagebucheinträgen zeigen. Er kann sich in Symptomen als schwerer entzifferbar darstellen, vor allem auch in psychosomatischen Symptomen. Einige Beispiele mögen dies aufzeigen.

Der Wunsch nach Lebendigsein

Lukas, ein dreißigjähriger evangelischer Theologe, seit einigen Jahren in der Seelsorge tätig, erlebt seinen Glauben als erstarrt, als »etwas, das ich mir einmal übergestülpt habe und das mich nun erstickt«. Er kommt zum Gespräch, weil er, so beschreibt er seine Situation, kaum mehr arbeiten kann, sich »ausgetrocknet fühlt« und nach und nach auf allen Lebensgebieten in eine Krise geraten ist. Nach einem Erstgespräch hat er folgenden Initialtraum.

Ich bin in einer kleinen Weltraumkapsel eingeschlossen und umkreise die Erde mit wahnsinniger Geschwindigkeit. Ich fühle mich kaum. Plötzlich ein riesiger Knall, eine Explosion: Die Kapsel springt auf, ich werde auf die Erde geworfen. Ich bin völlig einsam auf einer steinigen Landschaft, ohne jedes Zeichen von Leben. Ich fühle, daß ich hinuntersteigen muß, tiefer hinunter, wenn ich überleben will ... Plötzlich sehe ich ein erstes Moosflecklein, ich fühle Hoffnung in mir, bekomme Kraft, weiter hinunterzusteigen. Büsche, Bäume, Blumen ... Vögel beginnen zu singen. Wasser quillt aus dem Boden, kleine Bächlein. Dann wird alles grün, eine weite Ebene. Menschen. Hier ist auch Mirjam, meine junge Freundin, der ich vor kurzem begegnet bin.

Die Bedeutung dieses Wunsches hat für Lukas Explosionskraft. Es ist der Wunsch, Erstarrung aufzusprengen und sinnloses Kreisen auf einer Umlaufbahn, auf die er einmal geschleudert wurde, mit Wucht, mit Gewalt von innen zu beenden. Es spricht daraus der Wunsch nach Befreiung, nach innerer Lebendigkeit, der Wunsch, zurückzukehren zu den lebendigen Wurzeln. Es mag auch der Wunsch nach dem mütterlichen Ursprung sein, den er einst als lebendig erleben durfte. Aber dieser »Wunsch ist vor mir«, auch wenn er seine Kraft aus vergangenem Erleben bezieht. Es ist der Wunsch nach Selbstsein in einer Welt, die ihn nicht mehr einengt und erstickt. Angedeutet ist die Zielorientierung dieses Wunsches durch eine liebende Begegnung: Mirjam, eine junge Frau, erwartet ihn in jener grünenden Landschaft, zu der er hinabsteigt. Sein therapeutischer Weg wird eine langsame Verwirklichung dieser Wunschorientierung sein.

Der Wunsch nach Seinsausweitung

Als Iris mich anruft, steckt sie in einer verzweifelten Situation. Sie hat sich vor kurzem nach großer Enttäuschung scheiden lassen, kaum dreißigjährig. Anschließend fühlt sie sich einsam und ist verzweifelt, sie hat das Gefühl, daß ihr Leben nicht mehr weitergeht. In dieser Situation seelischer Einsamkeit lernt sie flüchtig einen Mann kennen, der sie als Künstler beeindruckt und der ihr eine neue Zukunftsperspektive öffnet. Sie wird von ihm schwanger, erschrickt, denn der fast unbekannte Partner sagt entschieden, daß er nichts von einem Kind wissen will, und auch ihre Eltern verstoßen sie. In ihrer Einsamkeit hat sie schon den Termin für eine Abtreibung festgelegt, übermorgen ... Nun wird sie unsicher, sie weiß nicht mehr, ob sie diesen Eingriff wirklich will. Eine Entscheidung ist wegen der kurzen Frist schnell nötig. Sie träumt:

Ich gehe schwanger durch einen Wald, einsam und verzweifelt. Der Wald ist dunkel und ohne Weg. In meiner Not und Verzweiflung falte ich die Hände, wie als Kind zum Gebet. Da fühle ich etwas völlig Neues in meinen Händen, etwas Lebendiges. Ich schaue auf, aus meinen gefalteten Händen wächst ein Kind, es wird größer und schaut mich an, wie wenn es mich schon immer kennen würde. Ich fühle eine große Bejahung zu diesem Kind in mir aufsteigen. Ich will dieses Kind nicht töten, es soll leben, auch wenn es zu große Ohren hat (Iris erinnert dieses störende Detail sehr genau) ... Es soll leben, auch wenn es nicht vollkommen ist ... Nach dem Erwachen weiß ich, daß ich morgen nicht zum festgelegten Abtreibungstermin gehen will.

Iris hat ihrem Wunsch nach Seinsausweitung in einem eindrücklichen Bild Ausdruck verliehen. Ihr tiefer Wunsch ist das Sich-Transzendieren als Mutter. Gleichzeitig gestaltet sie aber auch ihre Angst, ihre Einsamkeit und Auswegslosigkeit. In dem Detail der zu großen und abstehenden Ohren setzt sie sich mit einem Grundkonflikt auseinander, der, wie Iris erkennen wird, im Wunsch nach Vollkommenheit und dem Annehmen des Unvollkommenen, in sich und dem Anderen, liegt. Iris entschließt sich nach diesem Initialtraum, eine Analyse zu machen. Das Kleinkind, ihren gestaltgewordenen Wunsch, bringt sie nach der Geburt während längerer Zeit in der Tragtasche mit in die Stunde. Im Verlauf der analytischen Arbeit begegnet sie einem Partner, der »schon lange unterwegs war mit dem Wunsch, einer Partnerin mit einem Kind zu begegnen ...« Für Iris erfüllt sich Leben vor allem in ihrem Muttersein, das ist ihre Form von Seinsausweitung. Wenn sie diese Dimension ihres Wünschens leben darf, erwachen ihre Kräfte. Iris beginnt mit neuer Dynamik und Intensität zu malen, und sie wird eine beachtete Künstlerin.

Der Wunsch nach Selbst-Sein

Verena, siebzehnjährig, ist eine sehr begabte Gymnasiastin. Niemand kann verstehen, daß sie immer wieder Suizidversuche unternimmt (bei denen sie allerdings die Möglichkeit, gerettet zu werden, immer miteinschließt). Sie lebt in privilegierten Verhältnissen: Der Vater, eine starke und unabhängige Persönlichkeit, lebt intensiv mit den beiden Kindern, fördert sie schon von klein auf. Verena verehrt ihn sehr, träumt allerdings oft, daß sie vom Vater, mit dem sie oft schwimmen geht, wegschwimmt, weit weg, an ein anderes Ufer ... Die Mutter? Sie weiß nicht, da kommen keine Träume. Verena sagt: »Die Mutter ist schrecklich nahe, immer zu nahe, und immer lieb, und sie versteht mich voll. Sie fühlt sich immer ein. Sie weiß alles ...«

Verena zeichnet immer wieder ein Grab: Ein aufgeschütteter Erdwall, darauf steht ein starker, dunkler Stein. Der Grabstein hat wuchtige Konturen, die mit mehrfachen heftigen Strichen ausgezogen sind. Auf dem Stein mit den wuchtigen Konturen steht ihr Name in starken dunkeln Lettern: »Verena«. Erst nach und nach verstehe ich, verstehen wir beide, wie diese Zeichnung den Wunsch, ein eigenes, abgegrenztes Wesen zu sein, ausdrückt. Abgelöst von der Mutter, umgrenzt sein, sich selbst sein. Der Tod kann die gewaltsamste Grenzziehung bedeuten ...

Verena will ihre Grenzen erfahren, Grenzen ihres Lebens, ihres Daseins. Daß es auch Grenzen ihrer Identität sind, erahnt sie noch nicht. Diese Grenzziehung durch die Todessuche, die eine eigentliche Identitätssetzung ist, drückt ihren unbewußten Wunsch aus, ein eigenes Wesen zu sein. So kann ein Symptom ein verschlüsselter Wunsch sein. In einem dialogischen Prozeß kann nach und nach im Symptom der Wunsch erkannt werden. Dann wird es möglich, seine Berechtigung zu verstehen, ihn zu übersetzen und dadurch zu befreien zu einem Wunsch, der verwirklicht werden kann. Allerdings, so erfährt es Verena, ist eine solche Verwirklichung ein langer Prozeß, auch wenn das Wünschen noch so ungestüm ist (vgl. Teil III, Das verinnerlichte Du der Mutter).

Das sind einige therapeutische Beispiele, die den Prozeß der Freilegung des Wunsches zeigen. Ich habe bewußt einfache Vorgänge gewählt. Jedes Darstellen therapeutischer Prozesse ist eine Vereinfachung, denn wir greifen immer nur einen einzelnen Aspekt heraus aus einem sehr komplexen und vielschichtigen Zusammenhang. In der Freilegung des Wunsches handeln wir am besten intuitiv, verlassen alle Theorie, indem wir im Dialog diesen Wunsch zu lesen versuchen. Wenn wir einfach und direkt, zugleich behutsam mit dem *einen* Wunsch, der zum Ausdruck kommt, zu sprechen beginnen, ihn zu einem dualen Wunsch werden lassen, kann auch der Klient das innere Gespräch mit seinem eigenen Wunsch aufnehmen. Er kann sich in seinem Wunsch neu anschauen, er wird sich darin neu wahrnehmen, und er kann diesen Wunsch bewußt in sich leben lassen. Und dieser eine bejahte und erlebte Wunsch kann dem Klienten seine innere Lebendigkeit zurückgeben. So ereignet sich immer neu die Befreiung des Wunsches als therapeutisches Grundgeschehen.

Blicken wir auf den ersten Teil unserer Studie zurück, erkennen wir solche Prozesse auch in den dort beschriebenen Therapien. Corinnes Wunsch, dem Vater zu begegnen, ihn zu umarmen, ihn in sich leben zu lassen, löste sich befreit aus dem Traum vom Vatermord. Sie selbst hat diesen Wunsch freigelegt in der phantasierten Umgestaltung ihres Traums. Die Befreiung dieses Wunsches war für Corinne der Beginn des Heilungsprozesses. Auch Stefans Symptom der »verkehrten« sexuellen Befriedigung mußte entschlüsselt und dadurch befreit werden. Dieser Prozeß war möglich im existentiellen Miterleben der Therapeutin, die erahnte, was Stefan eigentlich suchte und was er ausdrückte in seinem von ihm selbst nicht verstandenen sexuellen Vollzug. Indem die Therapeutin das Symptom sozusagen mit Stefan zusammen durchleben und »umkehren« konnte, befreite sie den darin sich verzweifelt ausschreienden Wunsch nach Lieben und Geliebwerden.

Am Beispiel von Stefans Symptom können wir erkennen, daß ein im Symptom verschlüsselter Wunsch eigentlich eine ganze lebensgeschichtliche Wunschgeschichte ausdrücken kann. Die behutsame Entschlüsselung eines solchen Symptoms kann »Sinn und Kraft des Wunsches« (Ricoeur) befreien. So war es bei Stefan: Er konnte die Therapeutin verlassen, sich in einer Begegnung mit einer jungen Frau öffnen, und er wurde fähig zu liebendem sexuellem Erleben.

Diese im therapeutischen Prozeß beobachtbaren Phänomene führen uns zum nächsten Abschnitt, in welchem wir dem Aspekt der erinnerten Wunschgeschichte nachgehen wollen. Wir finden mit dem Klienten einen lebendigen Zugang zur inneren, erlebten und gedeuteten Lebensgeschichte, wenn wir sie einfach als Geschichte des Wunsches betrachten.

Die erinnerte Wunschgeschichte im therapeutischen Dialog

Innere Lebensgeschichte ist immer Bedeutungsgeschichte. In diesem Sinne wird sie neu mit jedem Reifungsprozeß, oder vielleicht dürfen wir auch umgekehrt sagen: In der Neudeutung unserer Lebensgeschichte drückt sich Reifung aus.

Wir können unsere innere Lebensgeschichte erfassen als Wunschgeschichte, Wunsch und Beziehungsbildung sind ja engstens miteinander verbunden. In der therapeutischen Situation können wir mit dem Klienten seine Wunschgeschichte durchwandern. Fühlt er sich liebend begleitet, so kann er ohne Angst vor Entwertung sein kindliches Wünschen, das spätere Wünschen, seine verletzten Wünsche und auch seine Erfüllungen wieder aufleben lassen. Im dualen Raum einer gemeinsamen Wanderung durch seine Wunschgeschichte entsteht, ohne daß wir das explizit erwähnen, ein Stück Neuerfahrung in der gelebten Übertragung. Wunscherfüllungen werden in ihrer energiespendenden Wirklichkeit wieder gegenwärtig erfahrbar in der therapeutischen Zuwendung. Wunschversagungen werden in ihrer Verletzung und Zurückweisung heilend berührt in einem dualen Raum. Wenn der Wunsch als wieder gegenwärtig erlebt wird, können sich schon in einem solchen gemeinsamen Erleben Liebeswunsch, Verletzung, Angst vor Zurückweisung aus der Verfestigung und Erstarrung lösen. Sinn und Kraft des Wunsches können sich befreien, sich umwandeln und neue Orientierung finden (Ricoeur 1993). Es ist ein Prozeß, in dem Hoffnung, vielleicht auch durch Verzweiflung, erwachen kann.

Ich habe in meiner analytischen Arbeit gute Erfahrungen mit dem gemeinsamen Betrachten von Kinderphotos gemacht. Diese Möglichkeit ergreife ich oft, wenn jemand eine Kurzanalyse machen will, sich selbst innerhalb einer festgelegten Zeit begegnen und sich besser verstehen will, ohne dafür Jahre aufzuwenden. Nach meiner Erfahrung ist dies oft der Fall bei beruflich außerordentlich engagierten Menschen. Es ist möglich, auf diese Art eine Lebenslauf-Kurzanalyse zu machen, die von der gemeinsam mit der Therapeutin durchwanderten äußern Lebensgeschichte anhand von Bildern in die innere Lebensgeschichte hineinführt, in das Erlebte und Gedeutete. Eine solche gemeinsame Wanderung durch Bilder der Kindheit kann eine Selbstbegegnung ermöglichen, wie sie der einsame Betrachter seiner Kinderphotos nie erleben kann. Unwillkürlich wird daraus auch das Neuerleben einer Wunschgeschichte. Die Befreiung des Wunsches kann auch hier Lebensenergien freilegen.

Benedetti (1992) weist darauf hin, daß wir nicht nur schmerzhafte Erfahrungen verdrängen, sondern daß oft auch glückliche Erfahrungen, Quellerfahrungen der Kindheit verdrängt werden. Das bedeutet, daß wir dann aber auch wichtigste Quellen von Kraft und Sinn verdrängen, die nicht mehr zur Verfügung stehen. Auch der Gesunde verliert oft den Zugang zu der lebendigen Kraft seiner Wünsche; er erfährt dies vor allem, wenn er in eine Krise geraten ist, und er seine früheren Kraftquellen nicht mehr findet. Erinnerte Wunschgeschichte kann Quellen von Lebendigkeit und Energie freilegen. So erlebte ich es gemeinsam mit einem jüngeren Manager, der in eine Krise der Entscheidungsunfähigkeit geraten war und durch eine wenige Wochen umfassende Kurztherapie zu seiner früheren Entscheidungsfähigkeit zurückfinden konnte.

Thomas meldet sich, weil er, ein 36jähriger Manager, sich seit ein paar Wochen entscheidungsunfähig fühlt – und dies ausgerechnet in einer Situation, in der er zu für das Unternehmen wichtigen Entscheidungen aufgefordert ist. Er kennt sich nicht mehr. Er kommt in die erste Besprechung, eine starke Persönlichkeit, das wird sofort klar, der ich jede Menge Entscheidungen zutraue, kraftvoll, dynamisch. Er spricht sehr klar über die berufliche Situation. Vorsichtig ertaste ich seine Gesprächsbereitschaft im privaten Bereich. Er braucht viel Ermutigung, »über mich so persönlich zu sprechen, dazu mit einem fremden Menschen, das bin ich nicht gewohnt ...« Er taut auf: »Ja er hat eine Partnerschaft aufgegeben, acht Jahre waren sie zusammen ... es war nicht einfach, die Freundin wollte sich nicht trennen, konnte ihn nicht verstehen, drohte mit Suizid.« – Wir vereinbaren, daß er das nächste Mal Photos aus seiner Kindheit mitbringt und Photos aus den Jahren der Freundschaft mit der ersten Partnerin. – Wir wandern gemeinsam durch seine erlebte Kindheit: Er begegnet seinem Vater, der, Direktor eines großen Unternehmens, den kleinen Sohn liebevoll begleitet, seine Kräfte weckt, sein Vertrauen. Er erlebt, wie der Vater eine Quelle der Kraft und der positiven Identifikation war. So werden wie der Vater, das war sein Wunsch. Er begegnet seiner Mutter, warmherzig, stark, ja, er mag sie immer noch sehr gern. – Erst jetzt ist Thomas bereit, auch Bilder aus den Jahren der nun aufgelösten Partnerschaft mit mir anzuschauen. Er erlebt starke Schuldgefühle. Eigentlich wußte er schon viel früher, daß sie nicht zusammenpassen, er ertrug ihre Unselbständigkeit bald nicht mehr ... er hatte Angst, ihr das zu sagen ... sie brauchte ihn doch ... war so hilflos ohne ihn. Er hat während der beruflichen Karriere den privaten Bereich ohne Entscheidung einfach nicht berücksichtigt, sich passiv verhalten ... Im Durchwandern dieser Kindheit entdeckten wir zusammen die ursprünglichen Kraftquellen seiner Persönlichkeit.

Thomas hat Mühe, über sich zu sprechen. Die Photos, die er mit der Therapeutin gemeinsam betrachten kann, öffnen ihn, das Sprechen wird persönlich. In den Bildern aus der Kindheit begegnet er dem Sinn und der Kraft seiner Wünsche, und seine inneren Kräfte erwachen neu. Dann erst schaut er die Photos aus der Zeit der Partnerschaft an. Er akzeptiert seine Schuld, die er darin sieht, daß er so lange nicht gewagt hatte, sich zu trennen, um keinen Schmerz zufügen zu müssen. Er hatte nie gelernt, einem Menschen, den er lieb hat, Schmerzen zuzufügen. Thomas findet in wenigen Gespräche, verteilt auf ein paar Wochen, in einem inneren Prozeß der Selbstbegegnung seine Entscheidungskräfte wieder.

Wir können uns in Ruhe in das Kind versetzen, das wir waren, und sein Wünschen aufsteigen lassen. Wunsch, daß die Mutter mehr Zeit hat, Wunsch des kleinen Knaben, daß ihn der Vater auch einmal lobt und nicht immer nur den Bruder, Wunsch des kleinen Mädchens, daß der Vater es auch einmal anschaut und nicht immer nur die große Schwester, daß er schaut und sieht, wie hübsch es ist, und es erleben kann, daß es ihm gefällt. Einen solchen starken Wunsch aufsteigen lassen, um ihn neu zu durchleben, wird oft schmerzhaft sein, kann aber durch diese Schmerzen heilende Wunschkraft freisetzen. So war es bei Andrea.

Andrea, eine junge Akademikerin, erlebt, daß kein Mann sie anschaut, daß alle »durch mich hindurch schauen, wie wenn ich nicht existieren würde ...« Dabei ist sie eine schöne, anziehende Frau, eigentlich weiß sie das, aber sie erlebt sich doch als nicht anschauenswert. Sie hat keine Dauerpartnerschaft aufbauen können und wünschte sich das so sehr. Erinnert sie einen Kinderwunsch? »Ja, daß mein Vater mich einmal anschaut, mich auch einmal fotografiert, daß ich ihm gefalle.« Immer ist es die ältere Schwester, die sich in den Mittelpunkt stellt, sie gefällt dem Vater, er macht endlos Photos von ihr. »Einmal von ihm gesehen werden, ihm gefallen ...« Sie erinnert sich: Es ist Frühling, sie ist vierjährig, sie hat ein neues Kleidchen bekommen, leuchtendes Königsblau, sie fühlt sich schön ... Zudem darf sie zum Friseur, sie bekommt Locken in ihr blondes Haar, draußen wartet der Vater, sie geht durch die Türe hinaus in den hellen Frühlingstag, voller Erwartung, voller Wunsch und Hoffnung auf den Vater zu: »Jetzt, jetzt wird mich Papa fotografieren, jetzt werde ich ihm gefallen«. Der Vater steht da, nimmt sie bei der Hand, sagt nichts, fotografiert nicht. Merkt nicht, daß sie so schön ist, für ihn. *Er sieht sie nicht, er schaut durch sie hindurch* ... Nie mehr kann sie sich gefallen, auch in ihrer Jugendzeit nicht, sie verschließt sich aus Angst vor Zurückweisung noch bevor jemand sie liebend anschauen könnte. Das Wiedererleben dieses Wunsches und seiner Zurückweisung durch den Vater ist ein sehr schmerzhafter Prozeß.

Der Wunsch des Kindes wurde wegen seiner Unerfülltheit so groß und bestimmend, sie kann ihn nicht loslassen, weil er nie erfüllt wurde. Andrea sehnt sich noch immer, angeschaut zu werden. Nach und nach wird ihr bewußt, daß es etwas Umfassenderes ist, wonach sie sich sehnt: Es ist eigentlich ein »Erkannt-Werden«, als das, was sie ist, als Frau wahrgenommen zu werden. Diese Sehnsucht aushalten, aktiv nach Erfüllung dieses Wunsches suchen, auch wenn die Angst vor immer neuer Zurückweisung tief in ihr existiert ... – Andrea ist auf einem schmerzvollen Weg in diese Richtung.

Ähnlich war es bei Philipp. Der Wunsch, vom Vater gesehen und anerkannt zu werden, blieb für ihn immer Wunsch, immer unerfüllt und als unerfüllbar erlebt. Philipp lebte mit seiner Mutter allein und kannte seinen Vater nur von den spärlichen Besuchen bei ihm im Ausland.

Er bewunderte seinen Vater sehr. Aber der kleine Philipp hatte das Gefühl, daß er dem großen Vater nicht gefallen konnte. Der wünschte sich einen starken Sohn, »einen richtigen Buben«, der wilde Spiele liebte, sich wehren konnte und keine Angst hatte. Philipp, zwar mit Geschenken verwöhnt, kehrte immer mit einem Gefühl des »vernichteten Wunsches« zurück. Es war klar, der Vater hatte recht, er war kein Mann (und das wollte ja auch seine Mutter so, er sollte in nichts dem »bösen Vater« gleichen ...).

Er entwickelte alles, was ihm möglich war, wurde ein brillanter Schüler, brillanter Student, immer mit dem Wunsch: »Irgendwann muß mich der Vater anerkennen ...«. Aber er hatte das Wunschbild seines Vaters nach einem »anderen, wilderen Buben« so verinnerlicht, daß er eigentlich in des Vaters Wünschen sich doch nie anerkannt fühlen konnte. Also konnte ihn der Vater doch immer noch nicht annehmen, trotz aller vorzeigbaren Erfolge. So erlebte er sich noch am Ende seines erfolgreichen Studiums als jemand, der den Wunsch seines Vaters nicht erfüllen kann, beziehungsweise seinen Wunsch, dem Vater zu gefallen als unerfüllbar erlebt.

Erst in einer Analyse kann er sich von den verinnerlichten Rückweisungen des Vaters langsam befreien, diese Wunschgeschichte von Angenommensein und sich als abgelehnt erleben, verstehen. Er erlebt seinen Wunsch neu, zu sein wie der Vater und von ihm anerkannt zu werden. Er befreit sich aus dem verinnerlichten Verbot der Mutter, ein Mann zu sein und dem Vater zu gleichen. Als reifer erwachsener Mann kann er nun das Gespräch mit seinem Vater auch in der äußern Wirklichkeit aufnehmen, kann ihm die Geschichte seines Kinderwunsches mitteilen und die immer neue Zurückweisung seines Wunsches dem Vater erfahrbar machen. Vater und erwachsener Sohn stehen erschüttert vor ihrer interaktiven Wunschgeschichte, sie beginnen sich gegenseitig zu verstehen. Im Verstehen ihrer Wunschgeschichte wird eine Verbundenheit zwischen den beiden Wirklichkeit, die bei Philipp auch nach innen wirkt und den verletzten Kinderwunsch nach und nach nicht verheilen, aber doch etwas vernarben läßt.

Wir lockern verfestigtes Erleben schneller, wenn wir mit dem Klienten der Geschichte seiner Kinderwünsche begegnen und sie im Dialog entschlüsseln. Erinnerungen beginnen sich zu bewegen, Schmerz, Frustration, Enttäuschung steigen auf, aber auch glückliche Momente. Oft kann das erinnerte Glück erst nach dem durchlebten Schmerz aufsteigen. So erlebte es Urs.

Urs erinnert sich an jenen schrecklichen Einbruch in seine Kinderwelt, als er die Erkrankung und die Schmerzen seiner Mutter wie eine schwere Last auf seine Kinderschultern fallen spürte. Bisher war die Mutter immer für ihn da, nun nimmt er sie plötzlich als leidend wahr, und er spürt, daß sie ihn braucht. Er ist erst vierjährig. Er ist überfordert, es ist, wie wenn etwas ganz Kostbares zerbricht, vielleicht das Ende eines Paradieses. Urs, 38jährig, weint erschüttert, als er diesen Einbruch in sein Kinderglück erinnert. Ich bin mit ihm im Schmerz des Kindes. Dann wird Urs sehr ruhig, ein Strahlen steigt in ihm auf. Er erinnert nun: Er ist mit beiden Eltern in der Küche, die Abendsonne strahlt herein. Er ist auch erst vier. Vater und Mutter schauen ihn an, ihre Blicke treffen sich in ihm. Er weiß: »Ich bin ihr Glück«. – Ein intensives Gefühl von Wärme und Helligkeit, wie die Abendsonne damals, erfüllt den sich erinnernden Mann.

Nicht daß ein solches einmaliges Erleben schon Veränderung bringt, es braucht in vielerlei Form immer neue Begegnung mit der erinnerten Wunschgeschichte. Es sind dann innere Begegnungen, die vielleicht durch viele Phasen hindurch zu Wandlungen im Erleben der Wunschgeschichte führen. Es sind Phasen des Schmerzes, dann Phasen der Wut und der Vorwürfe, die nach und nach die Dimension des Verzeihens, der Versöhnung und damit der Integration möglich machen.

In der Wunschgeschichte wird der Reichtum einer inneren Lebensgeschichte wie kaum sonst spürbar. Für mich ist in diesem Erleben, gemeinsam mit dem erinnernden Klienten, immer etwas wie große Dichtung vernehmbar, die sich befreit und ausgestaltet im Wortwerden. Ich erlebe solches Miterleben einer Wunschgeschichte immer als Geschenk.

Vom Wunsch zur Sehnsucht

Der Wunsch kann als Wurzel der Sehnsucht betrachtet werden. In dieser Funktion ist er existentielle Kraft, die in ständigen Verwandlungen des Sinnes letztlich über sich hinaus weist. Aus meinen therapeutischen Wahrnehmungen schließe ich auf eine Wunschdimension, die Sehnsucht heißt. In dieser Dimension arbeite ich als Therapeutin bis zu einer gewissen Grenze, wissend, daß da mein Zuständigkeitsbereich aufhört. Bis zu jener Grenze, wo der Einzelne irgendwie der Unerfüllbarkeit seines Wünschens begegnet, wo er sich letztendlich als Mensch, der immer auch ungesättigt bleibt, erfährt und erkennt. Viele Träume liegen an dieser Grenze, auch religiöse Träume im weitesten Sinne.

Bei Lukas, dem evangelischen Theologen, ist der Wunsch schon im Initialtraum ein Wunsch, aus einem anonymen Raum in den Raum des Lebendigen zu kommen. Spätere Träume sind auch Raum-Wünsche, sie offenbaren ein Suchen nach uraltem Raum des Lebendigen. Vielleicht ist es eine Sehnsucht nach dem Erfahrungsraum der Kindheit, nach dem bergenden Raum des Mütterlichen, eine »Sehnsucht zurück«. Aber in diesem Suchen geschieht Raumausweitung, neuer Raum öffnet sich, der im letzten als Sehnsucht nicht zurück, sondern als Sehnsucht in ein Neues, als »Sehnsucht darüber hinaus«, als transzendierende Sehnsucht erlebt wird. So verstand Lukas den folgenden Traum.

Ich bin in einem alten baufälligen Gebäude. Mein Bruder ist bei mir. Wir wollen das Gebäude restaurieren. Wir beginnen mit der Decke, die unansehnlich ist und herunterzufallen droht. Wir müssen sie ganz ersetzen und reißen sie herunter. – Ein großes Staunen kommt über uns. Über der Decke ist nicht einfach das Dach, sondern es wölbt sich ein weiter Raum, er ist bemalt mit Szenen. In der Mitte ist Maria, eine wunderschöne, gütige Frau, um sie Engel, dann die Natur mit vielen Bäumen, Blumen, Tieren. Wir staunen. Mein Bruder meint: »Wir müssen das wieder verdecken, es ist eine zu aufwendige Arbeit, das alles zu renovieren.« Er beginnt, den Raum, in dem wir uns befinden, mit einer neuen weißen Decke zu versehen. Es entsteht ein schöner, nüchterner Raum. Ich kann aber das Bild darüber nicht mehr vergessen.

Lukas sieht einen Raum, und dieser Raum ist ihm Ausdruck eines tiefsten Wunsches. Lukas, der sich ganz in einer nur rationalen, willensbetonten Religiosität eingeschlossen hat, tritt in diesem Traum in einen Raum, der ihm ein Transzendieren seiner »ausgetrockneten« religiösen Haltung ermöglicht. Er öffnet sich einer Harmonie der Schöpfung, in der alles, und das heißt auch vieles, wovor er Angst hat, – die Frau, die Sexualität, die Ursprünglichkeit der Natur, – sich in einer großen Schönheit vereint. Es ist das Bild einer uralten religiösen Sehnsucht, das er entwirft – eine Bejahung und Harmonie alles Lebendigen. Vielleicht ist das Traumbild Ausdruck einer »Sehnsucht zurück«, aber es ist auch mehr. Im Traum weiß er nüchtern, daß er das Erschaute nicht behalten kann. Aber schon im Erwachen spürt er, daß er dieses Bild nicht mehr vergessen wird. Der Wunsch im Traum läßt in ihm eine Sehnsucht weiterleben.

In dieser Sehnsucht erwacht in ihm eine neue Kraft, er sprengt den Raum der »übergestülpten Kirche«, wie er sie einmal nannte, und er bricht die Starrheit des Unlebendigen auf. Es gelingt ihm, wenn er seine kleine Tochter, seine lebendige Seele, an der Hand nimmt. Wunsch, Kraft und Sehnsucht brechen alle Einengung auf ...

Ich bin in einer Kirche und suche meine kleine Tochter, ich weiß, daß sie auch hier drin ist. Ich sehe sie wie in einer Seitennische, hinter Glas, sie schaut mich an, aber wie fremd. Ich warte auf sie mit großer Sehnsucht, rufe sie. Auf einmal ist sie neben mir, ich gebe ihr die Hand. So gehe ich Hand in Hand mit ihr nach vorn, in das Zentrum des liturgischen Raumes, dort wo die Bibel liegt. Ich halte mein kleines Kind fest an der Hand. Da fühle ich einen Baum wachsen aus mir heraus, stark, mächtig, der Stamm, die Äste, das Laub. Die Baumkrone ist schon an der Wölbung des Kirchendaches angelangt. Und er wächst weiter, stößt das Dach auf, wächst über den Kirchenraum hinaus, wächst in den freien Raum hinaus und breitet sich aus.

Der Raum, in dem Wunsch zur Sehnsucht wird, kann in der therapeutischen Begegnung nur geöffnet werden, wenn Klient und Therapeut diese Dimension menschlicher Grunderfahrung kennen und anerkennen. Nur dann kann religiöses Erleben in den allgemeinen Wachstumsprozeß, der sich in der Therapie vollzieht, integriert werden. Sonst kann es leicht geschehen, daß religiöse Erfahrung und Sehnsucht ein neurotisches Randdasein fristen. Persönlich erfahre ich, daß in jeder tiefergehenden Therapie irgendeine Form von

Selbstüberstieg erwacht oder sich verstärkt. Es öffnet sich eine Dimension von Transzendenz als »Sinn über mich hinaus«.[14] In den Grenzsituationen menschlichen Sinnsuchens, wie jede tiefergehende Therapie sie ermöglicht, beobachte ich, daß menschliches Wünschen über sich hinaus verlangt, nach einer Form von Seinsausweitung, die in irgendeiner Weise nicht dem Tod verfällt. Vom Wunsch zur Sehnsucht ist mir ein wesentliches Thema eines dialogischen Wegs in Analyse und Therapie, und ich glaube, daß die Dimension der Sehnsucht wie diejenige des Wunsches zur Conditio humana gehört.

Ich möchte diese Sichtweisen durch diejenigen Benedettis erweitern, der in seinem Werk *Psychotherapie als existentielle Herausforderung* (1992) die Bedeutung der Dimensionen von Wunsch, Sehnsucht und Hoffnung in der Therapie von Psychosen herausgearbeitet hat.

Benedetti spricht von der »Dualisierung als psychotherapeutischem Grundprinzip«. Nach ihm beginnt in der therapeutischen Situation durch die Dualisierung eine neue und heilende Erfahrungsdimension. Es ist nicht mehr der einzelne, der wünscht, der hofft, der erlebt, durch die Dualisierung entsteht die Erfahrung von Mitwünschen, Mithoffen, Mitsein. In dieser Dimension geschieht nach Benedetti letztlich das Heilende psychotherapeutischer Erfahrung.

Benedetti beobachtet in seinen Therapien in intensiver Weise eine Dualisierung des Wunsches, und er hebt das heilende Tiefenwünschen des Therapeuten als eine therapeutisch wirkende Grundkraft hervor, die sich im Unbewußten entfaltet. Nach ihm konstelliert sich das heilende Wünschen zuerst im Unbewußten des Therapeuten. Es kann sich dann in Bildern aus dem Unbewußten zeigen, so vor allem in den Heilträumen des Therapeuten, die meist zugleich diagnostische Träume sind. Er erklärt dieses Phänomen mit dem Begriff des gemeinsamen Unbewußten. Wunsch und gemeinsames Unbewußtes sind für ihn untrennbar verbunden. Er sagt, daß der »Wunsch über die Brücke des Unbewußten« im Anderen wirkt. Benedetti spricht von Heilträumen des Therapeuten und meint damit therapeutische Träume, welche »die Situation des Patienten direkt *gestalten*, verändern – wohl im Sinne einer Wunscherfüllung« (1992, S. 130). Er beobachtet immer wieder, daß die therapeutischen Träume eine noch verschüttete gesunde Wirklichkeit im Patienten unbewußt wahrnehmen, daß sie darum *prognostische Bedeutung* haben.

Das Phänomen des heilenden therapeutischen Wunschs führt Benedetti zur Methode des Dualisierens von Patientenzeichnungen. Bei diesem Vorgehen ergänzt der Therapeut beim gemeinsamen Zeichnen Bilder eines Patienten, die sein Leid und seine Verzweiflung ausdrücken, unbewußt so, daß die ergänzten Patientenbilder auch das therapeutische Wünschen und Hoffen zum Ausdruck bringen (Benedetti 1992, Beispiele S. 223ff. im Kapitel Bildgestaltung und psychotherapeutischer Prozeß).

Bei psychotischen Patienten betrachtet Benedetti das Aufscheinen von Wunsch und Sehnsucht als ein wichtiges Indiz der noch verbleibenden Lebendigkeit. Er sieht »die Sehnsucht nach jenem idealen Anders-Sein, mit der jeder verzweifelte Geisteskranke den ihm verborgenen Grund seiner heilen Existenz erspürt« (1992, S. 115). Er weist nach, daß in Träumen von psychotischen Patienten eine Wirklichkeit agiert wird, die es für diese Leidenden nicht gibt, die sie aber erschaffen »aus Sehnsucht nach dieser Wirklichkeit«. Sehnsucht ist beim psychotischen Menschen abgespalten, doch wenn sie sich aus dem Unbewußten heraus Gestalt geben kann, geschieht schon Heilendes. Wo Sehnsucht sich auszudrücken vermag, wird Heilung möglich sein, denn Wunsch und Sehnsucht sind Ausdruck von Lebendigkeit.

Die abgespaltene und nicht mehr wahrnehmbare Sehnsucht kann sich nur in der Dualisierung selbst erfassen, und sie wird in diesem Geschehen zu Hoffnung. Benedetti prägt den Ausdruck *Übertragungshoffnung,* er umschreibt damit eine dualisierte Hoffnung, eine Hoffnung, die der Therapeut anstelle des Hoffnungslosen, Verzweifelten hat und für ihn hat, und diese mitteilt (S. 71). Für ihn bildet die Hoffnung, die oft zu Beginn eine dualisierte Hoffnung, eine Übertragungshoffnung ist, den Raum, ohne den kein heilendes Geschehen möglich ist. Hoffnung wird für Benedetti ein »psychotherapeutisches Grundprinzip«. Er sucht, das Wesen therapeutischer Hoffnung zu erfassen und sieht in ihr eine »Ahnung der letzten, wirklichen Realität« (S. 262). »Sie gründet in der Erfahrung, daß die Urdimension der Existenz Liebe ist« (S. 269).

Teil III:
Das verinnerlichte Du

> Ein neues inneres Du, milder und toleranter als jenes der Kindheit.
>
> W. A. Schelling

Wenn wir in der therapeutischen Praxis mit dem einzelnen arbeiten, sind wir nie mit ihm allein. Jeder Klient bringt sein Beziehungsnetz mit: Partner oder Partnerin, Freunde, Vater, Mutter, Geschwister, Vorgesetzte, Arbeitskollegen, Lehrer ... Auch in der Einzeltherapie nehmen diese Beziehungsgestalten an der Therapie teil, sie sind in der Abwesenheit gegenwärtig und üben einen großen Einfluß aus auf den therapeutischen Prozeß. Wir suchen als Therapeuten diese nur durch den Klienten gegenwärtigen Anderen mitzuverstehen, einzubeziehen. Wir wissen, daß menschliche Entfaltung immer Koevolution bedeutet, um es mit *Willi* zu sagen, wir arbeiten in diesem Sinne nie nur mit einem einzelnen und für einen einzelnen, wir üben vielmehr »die Kunst gemeinsamen Wachsens« (Willi 1987). Auch der Vereinsamte kommt nie allein zu uns: Er bringt Freunde mit, die ihn vernachlässigen, die nichts mehr von sich hören lassen, Eltern, die er nicht mag oder die ihn nicht mögen, Geschwister, mit denen er jeden Kontakt abgebrochen hat, Vorgesetzte, die ihn nicht richtig einschätzen ...

Nun aber wissen wir um eine ganz andere und noch viel intensivere Gegenwärtigkeit in der Abwesenheit, nämlich um die verinnerlichte Gegenwart der Beziehungspersonen einer ganzen Lebensgeschichte. Wir beschreiben die Vielfalt dieser innerlich gegenwärtigen Beziehungsgestalten mit dem Begriff *das verinnerlichte Du*. Der lebensgeschichtlich erlebte Andere ist verinnerlicht gegenwärtig. Und dieses innere Du ist das gegenwärtigste, das am stärksten wirkende Du. Wir begegnen in der therapeutischen Arbeit dem verinnerlichten Du des Klienten, seinen lebensgeschichtlich verinnerlichten Beziehungsgestalten ebenso intensiv wie wir ihm selbst begegnen. Darum ist es so wichtig, uns für diesen Aspekt therapeutischen Geschehens zu sensibilisieren.

Auch unsere eigenen inneren Beziehungsgestalten werden aktiviert in der therapeutischen Begegnung. Unsere verinnerlichten Du-Gestalten beginnen mit dem neu begegnenden Anderen zu sprechen, sie suchen ihn irgendwie zu erkennen und mit den schon verinnerlichten Anderen zu vergleichen, zu verbinden. Auch dies ist ein wichtiger Aspekt der therapeutischen Begegnung, Beziehung und Übertragung.

Wir gehen zuerst den anthropologischen Aspekten dieses Phänomens nach.

Das verinnerlichte Du
in der Dichtung

Wenn Grundaussagen über die Conditio humana in dichterischen Zeugnissen ganz verschiedener Epochen wiederkehren, dürfen wir von einer anthropologischen Konstitutiven sprechen. Daß *Du* ein existentielles Grundwort ist, ist immer wieder hervorgehoben worden, im besonderen aber seit der eigentlichen Begegnungsphilosophie des 20. Jahrhunderts (vgl. Böckenhoff 1970). Wir gehen weiter und sagen: *Du in mir*. – Eine phänomenologische Darstellung anhand literarischer Texte soll uns einige Aspekte zeigen.

Die erste große Dichtung der neusprachlichen abendländischen Literatur, der Minnesang, besingt die Begegnung von Mann und Frau und deren Verinnerlichung in der »amour de loin«: der Ritter trägt das Bild der geliebten Frau in sich, es leitet ihn, spornt ihn zu großen Taten an, es ist eine verinnerlichte Wirklichkeit, die sein Wesen »veredelt« und seine Kräfte erhöht. Er sehnt sich nach neuer Begegnung. In diesen dichterischen Aussagen finden wir schon die Dialektik des verinnerlichten Du: das Du in mir – das Aufnehmen eines Anderen in einer kurzen Begegnung, die Erfahrung von Erfüllung und Versagung durch die Begrenzung des Zusammenseins, Erfahrung von Nähe und Ferne zugleich, – innere Nähe, äußere Ferne –, das Erspüren der zeitlichen Dimension: erinnerte vergangene Begegnung, verinnerlichte Gegenwart, erhoffte neue Begegnung in der Zukunft. Es entsteht eine Grunddimension von Verlangen nach dem geliebten Du, von Wunsch und Sehnsucht. Das innere Du hat eine Wirkkraft, die in Richtung Entwicklung, Verände-

79

rung, Stärkung liegt. So singt Jaufré Rudel[15] in *Amour lointain*, was zugleich »Liebe aus der Ferne« und »Geliebte in der Ferne, ferne Geliebte« heißen kann:

»Wenn die Tage lang sind im Mai / lausche ich den Vögeln in der Ferne / und wenn ich nicht mehr lauschen mag, / sinne ich an eine ferne Liebe. / Von Sehnsucht gebeugt gehe ich des Wegs, ... / Er hat recht, der mich anklagt / für eine ferne Geliebte entflammt zu sein; / Doch ich verlange nach keiner andern Freude / als eine Liebe aus der Ferne auszukosten.«

Die gleiche Form der Liebe ist ausgestaltet in den Ritterromanen, etwa bei Chrétien de Troyes in *Erec et Enide*.

Die spirituelle Dichtung des Mittelalters und des Barock gestaltet diese Verinnerlichung des Du in einer weiteren Dimension aus; sie spricht von der Verinnerlichung eines göttlichen Du in der »Gottesminne«. So finden wir bei Ekkehart in einer kühnen mystischen Sprache die Erfahrung des Innewohnens eines göttlichen Du.[16] Einige Texte aus Eckehart[17] sollen die Phänomenologie dieser Verinnerlichung skizzieren. Wesentlich ist für Eckehart das »Seelenfünklein«, »ein Ort in der Seele«, »ein Licht, das in der Seele ist, das ist ungeschaffen und unerschaffbar. Und dieselbe Licht nimmt Gott unmittelbar, unbedeckt entblößt auf, so wie er in sich selber ist; und zwar ist das ein Aufnehmen im Vollzuge der Eingebärung« (Meister Eckehart 1955, S. 315). »Gott gebiert sich in des Geistes Innigstes, und dies ist die innere Welt« (S. 180). Darum »geh in deinen eigenen Grund ... Gott ist inwendig im Innersten der Seele: da ist dein Leben, und da allein lebst du« (S. 268). »In dem Fünklein in der Seele, das weder Zeit noch Raum je berührte ... darin ist es innerlicher als in sich selbst« (S. 180). Je mehr Gott sich in die Seele hineinspricht, um so mehr dürstet sie nach ihm, Sättigung weckt immer größeren Hunger. Auch diese Erfahrungen sind eingewoben in die Zeitdimension, »Gott gibt sich der Seele immerfort neu in fortwährendem Werden« (S. 249), zugleich aber in die Dialektik der Erfüllung und der »inneren Wüste«, denn Gott in uns »wird und ent-wird« (S. 272). Er ist zugleich »ein überseiendes Sein und eine überseiende Nichtheit« (S. 352). Auch hier sehen wir, vergleichbar der Dichtung des Minnesangs, eine Dialektik von Nähe und Ferne, von Erfüllung und Versagung, von Himmel und Wüste. Und auch bei dieser Form der Verinnerlichung, »des Inneseins« wird das aufgenommene Du als eine innere wirkende Kraft erlebt, die den Menschen verwandelt.

Das Zeitalter der Romantik macht aus der Erfahrung der äußeren Abwesenheit des Du, aus seiner nur in der Sehnsucht wahrnehmbaren inneren Gegenwart eine wesentliche Dimension der Conditio humana: Sehnsucht nach dem einmal erfahrenen und verlorenen Paradies der Du-Erfahrung, nach einem Paradies des Einsseins. Die unstillbare Sehnsucht nach Unendlichkeit als Grundklang der romantischen Dichtung ist ein Suchen nach der verlorenen Einheitserfahrung. Eine eindrucksvolle Gestaltung dieser Welthaltung und der damit verbundenen Erfahrungen finden wir bei Novalis, in seinem Leben und in seinem Werk. Nach wenigen Jahren einer glücklichen Liebe mit der jungen Sophie erlebt er das langsame Sterben seiner Braut und deren Tod. Die innere Einsamkeit, der Schmerz der Trennung, der Verlust führen ihn schrittweise zu einer tiefen Verinnerlichung der Liebe, die ihn und Sophie verbunden hat und weiter verbindet, wie er glaubt und erlebt. Die Stufen dieser Verinnerlichung, das innere Suchen nach Gegenwart und Unvergänglichkeit, werden zu einem religiösen Weg, das innere Erleben weitet sich aus zu einer Schöpfungsmystik. Auf diesem Weg deutet er die Welt neu und sagt, daß »die Liebe der Endzweck der Weltgeschichte – das Amen des Universums« (Novalis, Werke und Briefe in einem Band, S. 427) ist. Er erlebt seine verstorbene Braut Sophie in sich als »ein Bild, das ein ewiges Urbild ist, ein Teil der unbekannten heiligen Welt« (S. 245). Die wenigen Jahre, die Novalis Sophie überlebt, sind für ihn Jahre der Umwandlung und Sinndeutung seines Lebens, indem er sucht, »alles in Sophien zu verwandeln – oder umgekehrt« (S. 435). Die Wirkung der Verinnerlichung läßt ihn ahnen, daß er in sich ein inneres Weltall trägt, das sich ausweitet und ein »inneres, äußerst weites, unendliches Weltall« (S. 448) wird. In dieser Erlebnisweise lösen sich nach und nach die Grenzen des Raumes auf. Es wird »das Äußere ein in Geheimniszustand erhobenes Innre – vielleicht auch umgekehrt« (S. 518). Die verstorbene Geliebte Sophie lebt »in mir, als meine Seele vielleicht und gerade dadurch wahrhaft außer mir – denn das wahrhaft Äußere kann nur durch mich – in mir, auf mich wirken«. Darum ist es »einerlei, ob ich das Weltall in mich oder mich ins Weltall setze« (S. 517). In gleicher Weise löst sich auch die Zeit auf: Am Grab von Sophie schieben sich Jahrhunderte ineinander und werden zu einem einzigen Augenblick intensiven Erlebens verinnerlichter Gegenwart: »Abends ging ich zu Sophien. Dort war ich unbeschreiblich freudig – ... das Grab blies ich wie Staub vor mich hin – Jahrhunderte waren wie Momente – ihre Nähe war fühlbar« (S. 612). Für Novalis wird Sophies Tod und ihre Verinnerlichung »ein Schlüssel zu allem« (Novalis an Schlegel, S. 600); durch sie erschließt sich ihm aller Sinn.

In der ersten Hälfte unseres Jahrhunderts verbindet Paul Claudel in seiner Dichtung und seiner Lebenserfahrung diese aufgezeigten Strömungen. Als junger Diplomat durchlebt er auf einer Reise nach China eine intensive, leidenschaftliche Begegnung mit einer Frau, die schon gebunden ist. Es ist für ihn die Erfahrung einer Nähe, die ihn verzehrt, die Nähe eines absoluten leibseelischen Sicherkennens und Einsseins. Diese Frau allein kennt seinen Namen, weiß um sein innerstes Wesen, sie ist sozusagen seine Seele, in ihr liegt seine Entfaltung (Claudel 1957, S. 1149):[18]

»Deinen wahren Namen, der nur deiner ist, ich allein kenne ihn. Meine Seele ist dein Name, meine Seele dein Schlüssel, meine Seele ist dein Wesensgrund. Dein Name, der dein Wesen aussagt, er bleibt untrennbar mit mir verbunden.«

Diese Begegnung erschüttert Claudel in seiner ganzen Existenz, sie wird die unerfüllte Liebe seines Lebens und seines Dichtens, »l'amour impossible«, die er eigentlich suchte, ohne es zu wissen. Die Erfahrung einer absoluten Nähe und einer ebenso absoluten Grenze verhilft seinen schöpferischen Kräften zum Durchbruch. Er wirft sich mit der Wucht seines Schmerzes und seiner Sehnsucht in eine spirituelle Dimension, in welcher er Immanenz unaufhörlich aufzubrechen sucht und öffnen will für Transzendenz. Diese Dimension wird zur eigentlichen Dynamik seines dichterischen Schaffens. Die Grunderfahrung seiner Begegnung ist vor allem gestaltet in *Le partage de midi*, jene der spirituellen Dimension seines Erlebens und ihrer Ausweitung zu einem »Welttheater« in *Le soulier de satin*.[19] Auch Claudels Poesie ist von dieser Erfahrung durchatmet: So erkennt Beata in *La Cantate à trois voix*, indem sie auf die Ferne des Geliebten hinweist, »die schöpferische Kraft der Abwesenheit«.[20]

»Denn wo wäre der Glaube, wenn der Geliebte anwesend wäre? wo die Zeit? wo das Wagnis? und wo die Sehnsucht? und wie, wenn er da wäre, voll zur Rose erblühen? Nur durch seine Abwesenheit werden wir geboren.«

Und Fausta besingt die Verinnerlichung des Du, welche die Trennung durch Zeit und Raum aufhebt und Nähe in der Abwesenheit erschafft:[21]

»Umsonst versuchen Ferne und Schicksal uns zu trennen! Ich brauche nur in mein Herz einzukehren, um mit ihm zu sein, und kaum schließe ich die Augen höre ich auf, da zu sein wo er nicht ist.«

Die Annäherung an literarische Texte zeigt, daß die Thematik der Verinnerlichung des Anderen wesentlich ist für die menschliche Beziehungsart. Nähe kann immer nur neu aus Ferne entstehen, Berührung aus Abgrenzung, Begegnung aus Abschied, Fülle aus Versagung. Diese Dialektik drängt in jeder lebendigen Beziehung zur Verinnerlichung des geliebten Anderen. Nur in und durch Verinnerlichung kann eine Beziehung wachsen und wächst der einzelne in ihr. Schon von der dichterischen Phänomenologie her dürfen wir annehmen, daß diese Thematik auch zentral ist für die Psychologie und vor allem für die psychotherapeutische Arbeit. Die Verinnerlichung des Anderen kann Kräfte freisetzen (auch Kräfte des Hassens, was ich hier nicht angeführt habe, was sich aber auch eindrücklich in dichterischen Werken nachweisen läßt), um die wir wissen sollten, wenn wir psychologisch und besonders psychotherapeutisch mit Menschen arbeiten. Gehen wir nun über zu Aussagen, die wir im Bereich der Psychologie vorfinden.

Verinnerlichung und Tiefenpsychologie

Vom Objekt zum Du – Leben als Begegnungsstreben

In Zusammenhang mit der Fragestellung nach den tiefenpsychologischen Aspekten der Verinnerlichung habe ich versucht, Freud als dem Begründer der Tiefenpsychologie ein Stück weit zu folgen und ihn zur Thematik zu befragen.

Wir vergegenwärtigen uns zunächst, daß in Freuds Sprachgebrauch das »Objekt« den Anderen bezeichnet, das »Du« in einer dialogischen Sprache und Sichtweise.

Die grundlegende treibende Kraft ist für Freud die Libido, der Sexualtrieb, es ist die »Energie solcher Triebe, welche mit all dem zu tun haben, was man als *Liebe* zusammenfassen kann« (Freud GW XIII, S. 98). Beim Lesen von Freuds Werken bekomme ich den Eindruck, daß wir die Libido, die ihrem Wesen nach immer auf den Anderen bezogen ist (später Eros!), mit einem »Begegnungstrieb«, einem grundlegenden, allem Lebendigen inhärentem *Streben nach Begegnung* beschreiben können[22] und somit in neuere Erkenntnisse der biologischen Psychologie integrieren.[23]

Wenn wir Freuds Texte befragen, um Äquivalente des verinnerlichten Du zu finden, sehen wir, daß er schon früh diesen Aspekt der »Objektbeziehung« wahrnimmt, ihn weiter beobachtet, sich ihm von vielen Seiten her annähert. Ohne die Thematik zu systematisieren, beschreibt er verschiedene Formen des Aufnehmens eines Anderen im mitmenschlichen Beziehungsfeld.

Eine frühe Form ist die *Einverleibung* (GW V, S. 98; GW XIII, S. 58). Ich esse, was ich liebe, um es zu behalten und mir anzueignen, um seine Qualitäten, seine Kraft in mir zu haben. Es ist eine Form von Aneignung.²⁴ Was ich mir einverleibe, stellt zugleich das Du und meine Beziehungsart zu ihm dar, mein Verlangen nach ihm. Das Urbild dieses leiblichen Aufnehmens ist das Essen, aber der ganze Leib, insofern er nicht nur Grenze, sondern Offenheit ist, kann ein Du aufnehmen: die Haut, die Atmung, die Augen, die Ohren und so weiter.²⁵ Es ist interessant zu sehen, wie Freud hier Vorgänge wissenschaftlich untersucht, die wir in der Liebeslyrik wiederfinden, in Ausdrücken wie: ich atme dich ein, mein Auge trinkt dich auf, du klingst in mich hinein und bist da.

In der *Introjektion* (GW V, S. 98; GW XIV, S. 13) sieht Freud auch einen primären Vorgang, und er verbindet ihn mit der Projektion: Ich nehme auf, was mich glücklich macht, stoße aus, was mich beeinträchtigt. Doch der Begriff bezeichnet ein ganzheitliches Aufnehmen ins Psychische. Dabei wird, in der Regel, ein Anderer als Ganzer, ein ungeteiltes Du, aufgenommen und wird zu einem Teil meiner seelischen Wirklichkeit (GW XV, S. 68). Das introjizierte Du lebt in mir, in einer Primärschicht. Das hilft mir, die äußere Trennung, ja vielleicht sogar einen Verlust zu ertragen. Das introjizierte Du wird unverlierbar (in: *Trauer und Melancholie*, GW X, S. 248-261). Durch den Begriff der *introjektiven Identifikation* versucht er den Vorgang der inneren Angleichung an das aufgenommene Du zu erfassen. Anteile des aufgenommenen Du, gewisse seiner Qualitäten, werden so introjiziert, daß sie zu Anteilen meiner selbst werden. Der Andere ist in mich eingewandelt und ist hier eine Wirkkraft, es weitet mein Wesen aus und verändert es.²⁶

Die *Internalisation oder Verinnerlichung* (GW XV, S. 83; GW XI, S. 432) bezeichnet das Umwandeln einer intersubjektiven Du-Beziehung in eine intrasubjektive, also wird eine in der äußeren Realität bestehende Beziehung so nach innen genommen, daß sie in mir, unabhängig von der äußeren Gegenwart des Du, weiterlebt. Ich nehme den Anderen, meine ganze Beziehung zu ihm und seine Beziehung zu mir, in mich hinein und lebe und gestalte diese Beziehung innerlich weiter. Sie wird ein lebendig wirkender Anteil meines lebensgeschichtlichen Werdens.

Wenn wir versuchen, diese Beobachtungen aus den Anfängen der Tiefenpsychologie in dialogischer Sicht zusammenzufassen, ergibt sich folgendes: Im mitmenschlichen Beziehungsbereich begegnen wir uns nicht nur »außen«, sondern wir nehmen in der äußern Begegnung den Anderen in einer ganzheitlichen Weise in uns auf, wir verinnerlichen ihn. In jeder menschlichen Begegnung geschieht ein Prozeß gegenseitiger Verinnerlichung. Der Andere beginnt in mir zu leben, er wird zu einer inneren Beziehungsgestalt, ich beginne im Anderen zu leben, bin in ihm als eine Beziehungsgestalt. Diese Verinnerlichung ist möglich – und unvermeidbar – aufgrund der wesenhaften Offenheit unserer leibseelischen und geistigen Struktur: Wir nehmen einander durch die Sinne auf, durch feinste emotionale Signale, durch das Wort, durch den in Sprache ausgedrückten Gedanken. In dieser »inneren Schöpfung« erschaffe ich den Anderen so, wie ich ihn sehen kann, erleben kann, wie ich ihm Gestalt geben kann in mir, mit meinen gegenwärtigen Möglichkeiten.

In der Folge werden wir diesen Prozeß einheitlich als *Verinnerlichung* bezeichnen, und wir erfassen hiermit einen Begriff, den Freud in den Anfängen der Tiefenpsychologie in immer neuen Ansätzen mit Einverleibung, Introjektion und Internalisation umschreibt.

Verinnerlichung und Entwicklungspsychologie

Das Wissen, daß die Verinnerlichung von Bezugspersonen in der menschlichen Entwicklung eine wichtige Rolle spielt, ist uns vertraut. Bedeutende Autoren wie Lichtenberg, Brazelton und Stern verbinden in ihrem entwicklungspsychologischen Ansatz empirische Säuglingsforschung und tiefenpsychologisches Denken. Ihre Forschung führt zu Sichtweisen, die die dialogische Auffassung menschlichen Lebens seit seinem Beginn bestätigen.

So verbindet beispielsweise Stern (1992) in seiner Entwicklungspsychologie direkte Beobachtung des Säuglings mit klinischen, tiefenpsychologisch orientierten Konzepten der frühen Entwicklung. Er leitet seine Konzepte aus dem »beobachteten Säugling« ab und versucht eine Synthese mit dem »therapeutisch rekonstruierten Säugling« (Stern 1992, S. 382) der Tiefenpsycholgie zu finden.[27]

Die Bildung des Selbstempfindens in der frühen Entwicklung hat in Sterns Untersuchungen zentrale Bedeutung. Er betrachtet das »subjektive Selbstempfinden als Organisationsprinzip der frühen Entwicklung«, und er umschreibt die frühen Phasen der Selbstwerdung mit den Begriffen: Empfinden eines auftauchenden Selbst (mit der Geburt), Empfinden eines Kern-Selbst (ab 2 Monaten), Empfinden eines subjektiven Selbst (ab 7./9. Monat) und als weitere Phase das verbale Selbst. Alle Empfindungen des Selbst sind Entwicklungen, die wohl ineinander übergehen, aber zugleich als »Entwicklungslinien« weiterlaufen. In allen diesen Phasen ist der Säugling ein aktiver Interaktionspartner, der die Beziehung mitgestaltet und die Selbstempfindungen sind immer »die Empfindungen von Selbst und Anderem« (Stern 1992, S. 46).

Das auftauchende Selbst, das sich mit der Geburt zu konstituieren beginnt, zeigt, daß der Säugling vom Augenblick seiner Geburt an ein soziales Wesen ist, »daß er die Anlage hat, unverwechselbare Interaktionen mit anderen Menschen zu suchen und aktiv aufrechtzuerhalten« (S. 328). In diesem aktiv mitgestalteten Austauschprozess zwischen der Mutter und dem Säugling formt sich das erste Selbstempfinden.

Stern geht in Zusammenhang mit der Entwicklung von »Selbst und Anderem« der Frage nach der Erinnerungsfähigkeit nach. Lange vor der Entwicklung der Symbolisierungsfähigkeit (im zweiten Lebensjahr) ist der Säugling zu hinweisbedingten, evokativen Erinnerungsakten in der

Lage (vor dem dritten Lebensmonat), die den affektiven Gehalt des interaktiven Erlebens festhalten (S. 169). Aus vielen Beobachtungen leitet Stern ab, daß zu Beginn die Anderen »in« uns nur in Form von affektiven Erinnerungen, die das Erleben des Zusammenseins mit ihnen betreffen, als »Interaffektivität«, existieren. Diese Erinnerungen an den das Selbst regulierenden Anderen, werden als »gelebte Episoden ... unverzüglich zu spezifischen Gedächtnisepisoden und durch Wiederholungen zu generalisierten Episoden« (S. 160).

Seine Beobachtungen führen Stern zur Annahme, daß der Säugling den in den Interaktionen erlebten Anderen verinnerlicht und wieder aktivieren kann. Diesen inneren Anderen nennt Stern »Gefährte«, weil – wie er sagt – dieser Ausdruck die besondere Situation evoziert, »in der ein Mensch einen anderen begleitet« (S. 163). Das früheste Erleben wird in der realen Situation und in der »inneren« Situation als »Ich *mit* einem Anderen« empfunden (S. 167). Es entsteht so »ein stabiles Empfinden des Kern-Selbst sowie des Kern-Anderen« (S. 145). »Mit realen äußeren Partnern interagiert der Säugling zeitweise, mit evozierten Gefährten fast immer. Die Entwicklung setzt einen ständigen, für gewöhnlich stummen Dialog zwischen den beiden Partnern voraus« (S. 171). In Sterns Sichtweise ist also die frühe menschliche Entwicklung diejenige einer fortschreitenden Grunderfahrung von »Ich *mit* einem Anderen«.

Für die spätere Entwicklung des Kleinkinds wurde die Funktion der Verinnerlichung vor allem durch Margaret Mahler (1990) herausgearbeitet. Die Fähigkeit zur Verinnerlichung der Bezugsperson steht nicht nur am Ursprung des Aufbaus einer Bindung, sondern sie ermöglicht dem Kleinkind, sobald es fähig ist, sich selbst fortzubewegen, räumliche Trennungen von der Mutter zu verkraften und sich zu verselbständigen. Bei kleinen Erkundungsreisen, die das Kind ohne die Mutter unternimmt, trägt es gleichsam deren Bild mit sich. Zunächst muß es noch von Zeit zu Zeit zu ihr zurückkehren, um Sicherheit »aufzutanken«. Später wird dies bei normalem Entwicklungsverlauf zunehmend entbehrlich. Stern stellt die Frage nach der Entwicklung einer reifen Unabhängigkeit von anderen Menschen mit der Betonung eines zusätzlichen Aspekets, jenem der Verinnerlichung.[28] Wie Mahler spricht er von der Ablösung zur Erkundung der Welt und beobachtet wie sie das Zurückkommen des Kindes zur Mutter. Nach Stern sucht das zur Mutter zurückkehrende Kleinkind erneut die Interaktion mit einer das Selbst regulierenden anderen Person. Dabei wird der innere Gefährte aktiviert und verstärkt, und es kann mit ihm als *innerem Begleiter* zu neuer Erkundung aufbrechen (Stern 1992, S. 373).

Diese ständige Anwesenheit von intra-psychischem Anderen als evozierter Gefährte sieht Stern als lebenslange Entwicklungslinie, und sie ist Ausdruck der von Grund auf sozialen Erlebensweise des Säuglings wie des Erwachsenen. Wir können in jeder Lebensphase »das Gefühl des Zusammenseins mit einer Person, die real gar nicht anwesend ist, erleben. Eine abwesende Person kann als mächtig und fast spürbar empfunden werden«. Dies zeigt sich beim Verlust eines geliebten Menschen in den Phasen des Trauerprozesses. Aber auch in der gelebten Liebe ist sichtbar, wie innere Gegenwart entsteht. »Die Liebenden denken nicht nur ständig aneinander. Der geliebte Andere wird häufig als allgegenwärtig erlebt, ja sogar als eine Art Aura empfunden, die beinahe alles, was man tut, verwandeln kann: sie kann unsere Wahrnehmung der Welt intensivieren oder unser eigenes Tun und Lassen umgestalten und läutern« (Stern 1992, S. 146). – Sich verlieben »setzt die Fähigkeit voraus, das Zusammensein mit dem Anderen erinnern und innerlich abbilden zu können ... sich von der Gegenwart einer abwesenden Person, einem nahezu kontinuierlich evozierten Gefährten, erfüllen zu lassen« (S. 340). »Evozierte Gefährten«, sagt Stern (S. 168), »bleiben das ganze Leben hindurch latent vorhanden und sind zwar immer abrufbar, doch ist der Grad ihrer Aktivierung variabel«. »Sie bilden dauerhafte, gesunde Bestandteile der geistigen Landschaft, die ständig in Wachstum und Ausgestaltung begriffen sind« (S. 172). Das Bedürfnis nach innerer Gegenwart anderer ist als gesund und legitim zu betrachten und ist in jedem Stadium eines normalen Lebens zu erwarten (S. 338).

Sterns Sichtweise deckt sich mit derjenigen, die wir hier entwickeln, wenn wir anstelle des evozierten Gefährten den Begriff des inneren Du setzen, das die gleichen Grundzüge aufweist. Wir sehen aus diesen wenigen Ausführungen, daß das Entstehen von Bindung und Beziehung auf die Fähigkeit zum Erleben einer inneren Gegenwart der Bezugsperson angewiesen ist. Damit in einer bestehenden Bindung seelisch-geistiges Wachstum möglich ist, muß die Fähigkeit zur zeitweiligen Trennung von der Bezugsperson sich entwickeln, was nur dank der Verinnerlichung möglich ist. Der Grundrhythmus von Du-Nähe und Loslassen, Selbständigkeit einüben, »Auftanken« an der Du-Quelle selbst oder beim *inneren* Du, um wieder Entfernung zu ertragen, ist in der menschlichen Entwicklung ein lebenslanger Prozeß. Er beruht auf der Möglichkeit der Verinnerlichung der Beziehungsperson.[29]

Diese neuen Ansätze zur Entwicklungspsychologie zeigen uns, daß es sich bei der Verinnerlichung der Bezugsperson um einen anthropologischen Vorgang handelt.

Wunsch, Phantasie und Zeitlichkeit – der innere Dialog

Wir leben nicht nur *neben* den Anderen, nicht nur *mit* den Anderen, wir leben immer auch *im* Anderen, die Anderen *in* uns. Wir investieren ständig ein gewisses Maß von Begegnungsenergie in die innerlich anwesenden Beziehungsgestalten. Es sind verinnerlichte Bezugspersonen der Vergangenheit, und es sind solche, mit denen wir in der Gegenwart verbunden sind.

Immer bewegt sich dieses innere Begegnen zwischen zwei Polen, den Polen des möglichen Mißdeutens und des wirklichen Erkennens des verinnerlichten Anderen. Ein wichtiges Merkmal wirklicher Begegnung zeigt sich in der Fähigkeit, den verinnerlichten Anderen immer wieder neu zu sehen, neu zu erkennen, neu zu deuten. Wird der Andere aber innerlich festgelegt auf ein nicht mehr veränderbares Bild, beginnen sich darin klinische Phänomene zu manifestieren. Dann wird die Öffnung für neue Begegnungen mit dem realen Du eingeschränkt, ja unmöglich. Dies alles zeigt deutlich, daß verinnerlichte Begegnung auch pathologische Phänomene aufweisen kann.[30]

In diesem Band will ich demgegenüber die heilen und heilenden Möglichkeiten der inneren Begegnung aufzeigen. Im Suchen von Begegnung erschaffen wir mit schöpferischer Begegnungsphantasie ein inneres Du, das unserem Wünschen entspricht. Wunsch und Phantasie sind in unserem inneren Umgang mit dem Du intensiv verwoben. Im inneren Begegnungsgeschehen entdecken wir auch uns selbst neu: Wir können alle Beziehungsarten gefahrlos durchleben, Aggression, Auseinandersetzung, Abgrenzung einüben ohne Angst vor Verlust. Wir können vielleicht auch Wunsch und Sehnsucht nach Einssein, nach Teilhaben am Anderen durchleben und in der Phantasie ausgestalten. Wir verstehen unser Wünschen, unsere Sehnsucht in diesen inneren Begegnungen intensiver, und nach und nach erkennen wir durch die Phantasien hindurch die wirkliche Gestalt des Anderen. Wir sehen ihn immer mehr ganzheitlich in uns und versuchen, ihn so zu lieben, wie er ist. Solche Prozesse, in denen wir durch Beziehungsphantasien hindurch den verinnerlichten Anderen und damit auch uns selbst und unsere Beziehungswünsche erkennen lernen, sind von großer Bedeutung für das therapeutische Geschehen.

Wir erleben das Zusammenwirken von Verinnerlichung, Wunsch und Phantasie immer auch in einer inneren Zeitdimension. Vergangenes und zukünftiges Beziehungserleben kann dank der Verinnerlichung als Gegenwart erfahren werden. Vergangene Beziehungserfahrung können wir neu erfahren, neu deuten, schöpferisch umwandeln. Ein Du aus früheren Zeiten kann neu erschaffen werden, kann uns innerlich erneut begegnen, neu mit uns sprechen. Wir können das Glück einer verinnerlichten Begegnung nachwirken lassen. Wir können einen vergangenen Begegnungsschmerz verklingen lassen. Auch ersehnte zukünftige Beziehungserfahrung können wir in der Gegenwart kreativ vorwegnehmen. Wunsch und Phantasie zeigen uns *neue innere Begegnungsmöglichkeiten*, wecken *kreative Begegnungskräfte*, machen uns lebendig durch *Begegnungssehnsucht*. Vielleicht nähren wir uns auch teilweise in diesem inneren Prozeß, wenn wir zukünftige mögliche Erfüllung vorwegnehmen oder vergangene Erfüllung vergegenwärtigen und nachwirken lassen. Bleibt uns reale Erfüllung versagt, ist es uns möglich, diese nicht nur zu erträumen, sondern sie auch auszukosten. Es ist uns Menschen eigen, daß Phantasien, daß Träume uns beflügeln können, ja für unsere Entwicklung wesentlich sind.

Was uns hier beschäftigt, ist auch die sprachliche Gestalt der inneren Begegnung, der innere Dialog. Verinnerlichte Beziehungsgestalten sind in uns, sie verbreiten eine emotionale Gegenwart, sie färben unsere emotionale Selbstwahrnehmung und unsere Wahrnehmung des Anderen. Diese Gestalten finden auch sprachliche Gegenwart, sie sprechen zu uns, wir sprechen mit ihnen, wir leben in einem häufig unbewußten inneren Dialog mit ihnen.[31] Wir erkennen uns durch den verinnerlichten Blick und das verinnerlichte Wort des Anderen, wir erleben uns durch die verinnerlichte emotionale Art und Weise seiner Zuwendung oder Ablehnung. Wir leben und erkennen uns in einem inneren Dialog – Selbsterkenntnis ist ihrem Wesen nach dialogische Erkenntnis.

Die Annäherung an das Phänomen des verinnerlichten Du und des inneren Dialogs führt uns zu einigen wesentlichen Aspekten des therapeutischen Prozesses. Einige sichtbar gewordenen Perspektiven können unseren Zugang zum Verstehen des therapeutischen Geschehens ausweiten.

Verinnerlichung und Therapie

Das verinnerlichte Du des Therapeuten

Begegnung, Beziehung und Übertragung als Voraussetzung einer dialogischen Verinnerlichung

Die vorausgegangenen Reflexionen legen die Annahme nahe, daß in jeder tiefergehenden Therapie, unabhängig von der Methode, mit der gearbeitet wird, ein Prozeß der ganzheitlichen Verinnerlichung des Anderen einsetzt. Ich bezeichne diesen Vorgang als *dialogische Verinnerlichung* in dem Sinne, als sie gegenseitig ist. Der Klient nimmt den Therapeuten ganzheitlich in sich auf und dieser den Klienten in einer urtümlichen, primären und ganzheitlichen Art. Diese primäre Verinnerlichung mag einer »Einverleibung« gleichkommen, insofern als sie durch sinnliche Wahrnehmung geschieht: Klient und Therapeut nehmen sich mit den Augen wahr, durch die Art der Haltung und Bewegung, sie nehmen den Klang der Stimme in sich auf, spüren den Atem des anderen, erleben den anderen sozusagen auf der Haut, durch die Haut hindurch. Es ist zuallererst ein sinnenhaftes, emotionales Austauschen von Signalen, von Mitteilungen. Diese primäre Verinnerlichung setzt beim ersten Sich-Begegnen ein, und sie läuft im therapeutischen Prozeß weiter als ein Basisgeschehen, das die Therapie wesentlich mitbestimmt.[32]

Wir können die *Primärverinnerlichung* oder *Basisverinnerlichung* als eine *wesentliche Form des dialogischen Erkennens* in der Therapie bezeichnen. Der Klient trägt ein Bild des Therapeuten in sich, das ihm zeigt, daß der Therapeut ihm zugewendet ist, ihn bejaht, ihn mag. Er trägt somit einen

Ansatz möglicher Selbstbejahung in sich. Zugleich kann er sich auch im Bild, das der Therapeut von ihm innerlich entwirft, wie in einem Spiegel zu erkennen beginnen. Das Bild zeigt ihm seine Not, seine Verkümmerung, sein Suchen. Er erkennt sich darin und kann auch erkennen, daß dieses Bild gehalten ist von der Tragkraft und Zuwendung des Therapeuten. Es zeigt ihm auch den Entwurf eines neuen Bildes, die Intuition eines Bildes, indem der Therapeut in sich zuerst intuitiv die Wachstumsmöglichkeit des Klienten wahrnimmt und in das gegenwärtige Bild von Not und Verkümmerung investiert. Ohne daß diese Prozesse bewußt werden müssen, sind sie ein Zugang zur Selbstwahrnehmung des Klienten, aber auch ein Zugang zu Hoffnung, zu Wachstum und Entfaltung. Für den Therapeuten liegt in diesem primären Vorgang die Möglichkeit eines *ganzheitlichen diagnostischen* Zugangs zum Klienten.

Benedetti zeigt diesen Aspekt des Geschehens, wenn er von der Konstituierung eines Bildes des Leidenden im Therapeuten spricht. Dieses innere Bild entsteht nach Benedetti durch den Prozeß der Identifikation mit dem Patienten. In diesem Bild, das sein Leiden und seine Integrität umfaßt, kann sich der Patient wie in einem therapeutischen Spiegel erkennen, das Bild verinnerlichen und sich so wiederfinden. Benedetti weist auch darauf hin, wie intensiv sich dieses Grundgeschehen im Begegnungsraum des Unbewußten verwirklichen kann. Er sieht in solchen Prozessen einen wesentlichen Heilungsfaktor (Benedetti 1992).

Diese fundamentalen Prozesse sind angewiesen auf eine Basis von Begegnung und Beziehung im therapeutischen Geschehen. Begegnung zulassen, erfahren lassen, ist für jede therapeutische Arbeit eine Grundvoraussetzung, welche auch immer die Arbeitsmethode sein mag. Der Therapeut soll sich nicht hinter seiner Arbeitsmethode verbergen und verschanzen, sondern diese soll ihm durch ihre Struktur zur Freiheit der Begegnung verhelfen. Die Form der Begegnung ist individuell sehr verschieden, sie wird auch im Laufe der Berufsausübung immer wieder Ausweitungen und Abwandlungen erfahren.

Begegnung und Beziehung werden wesentlich gestaltet durch die Dynamik der Übertragung.[33] Wir umschreiben hier Übertragung als das Hineinnehmen lebensgeschichtlich erworbener Beziehungserfahrung in jede neue Beziehung. Im Zusammenhang unserer Überlegungen heißt das: Das verinnerlichte Du der ersten Beziehungserfahrungen, eine Vielzahl von im Laufe der Lebensgeschichte verinnerlichten Beziehungsgestalten leben in der therapeutischen Begegnung wieder auf. Sie bestimmen als emotionale Erfahrungsgrundlage Erwartungen und Hoffnungen, Ängste und Wünsche, die in die therapeutische Beziehung hineingetragen werden. Sie bestimmen auch Möglichkeiten und Grenzen einer neuen Beziehungserfahrung. So wird das lebensgeschichtlich geformte innere Du als *Beziehungserwartung* und als *Beziehungsangebot* in die therapeutische Situation hineingetragen, »übertragen« und bestimmt wesentlich die *Beziehungshoffnung*.

Der Therapeut als innerer Dialogpartner

Es ist wichtig, diese Verinnerlichung im therapeutischen Prozeß wahrzunehmen, und mit ihr zu arbeiten ist lohnend. In welcher inneren Gestalt, in welcher Funktion sind wir beim Klienten oder vielmehr *in* ihm? Wie spricht er innerlich mit uns? Welche Antworten holt er sich in diesen inneren Gesprächen von uns?

Einige Klienten erleben unsere innere Gegenwart als eine fast sinnlich faßbare, berührbare äußere Anwesenheit. »Da waren Sie gerade im rechten Augenblick bei mir und halfen mir, mich zu wehren ...« höre ich dann manchmal. Jeder Therapeut, der mit »einfachen« Menschen arbeitet, kennt solche Aussagen. Sie klingen manchmal fast wie im Märchen, zeitliche und räumliche Distanz scheinen plötzlich überwunden und eine fast wunderbare Gegenwart wird erlebt. – Manchmal sind es spontane Schilderungen erlebter Gegenwart: »In den Ferien waren Sie auch da« oder »Ich habe viel mit Ihnen gesprochen« (vgl. dazu Stefan, Teil I).

Solche Aussagen zeigen Wesentliches des therapeutischen Prozesses: Der Klient hat den Therapeuten verinnerlicht, er kann ihn ansprechen, ohne telefonieren zu müssen, er hat seine möglichen Antworten verinnerlicht, ist selber imstande, Antworten zu generieren. Oft sind es Vorboten der möglichen Ablösung.

Bei akademisch gebildeten Menschen wird der Therapeut bewußt als innerer Dialogpartner erlebt. Der Klient vergegenwärtigt sich vielleicht nochmals Teile des wirklich geführten Dialogs, führt den Dialog weiter, setzt sich mit dem Therapeuten auseinander, erarbeitet neue Einsichten in diesem inneren Gespräch. Aber auch hier sind, wenn der Klient in der Therapie einen emotional tragenden Du-Raum erleben darf, starke emotionale Elemente in der verinnerlichten Beziehung: »Trotz Erfolg in jeder Verhandlung, verlief bislang alles wie auf einem brüchigen Boden, der einzubrechen drohte. Nun erlebe ich: Sie sind bei mir, und ich weiß mich durch und durch akzeptiert, das trägt.« Oder: »Immer wenn ich einer Frau begegnet bin und ich ihre Zuwendung suchte, begann ich mich zu verstecken, hatte das Gefühl, das und das in dir ist unannehmbar ... Plötzlich merkte ich: Sie sind dabei und alles in mir wird liebenswert und darf sich zeigen.« Es ist ein Sich-neu-Erfahren durch das verinnerlichte Du des Therapeuten, ein Sich-neu-Entdecken in der emotional tragenden inneren Gegenwart eines Du, das voll akzeptierend den Klienten begleitet.

Dialektik in der therapeutischen Erfahrung des verinnerlichten Du

Wir näherten uns dem Phänomen des verinnerlichten Anderen anhand literarischer Zeugnisse und sahen, daß immer eine Dialektik erlebt wird: Verinnerlichte Du-Erfahrung ist ausgespannt zwischen Nähe und Ferne, Begegnung und Trennung, Erfüllung und Versagung. Im therapeutischen Geschehen erleben wir diese Dialektik mit besonderer Intensität. Erfahrung von Nähe ist zugleich Erfahrung von

Abgrenzung, Erfüllung heißt immer auch Versagung. Wünsche nach mehr Nähe können erkannt und verinnerlicht werden, sie können in der Phantasie als eigene Möglichkeit durchlebt und erfüllt werden. In der Dialektik der therapeutischen Begegnung kann der Wunsch nach Nähe über sich hinausweisen und zur Sehnsucht werden, die nicht mehr in Worte zu fassen ist. Wenn aus dem Erleben von Nähe und Ferne, Erfüllung und Versagung, Sehnsucht aufbricht, Sehnsucht nach mehr Leben, mehr Lebendigkeit, nach lebendigerem Selbstsein, dann erfüllt diese therapeutische Dialektik ihren heilenden Sinn.

Der innere Dialog als das »therapeutische Setting, das Zeit und Raum sprengt«

Die Tatsache, daß in der Begegnung eine Verinnerlichung des therapeutischen Du stattfindet, zeigt eindrücklich, daß der Klient, der das Sprechzimmer verläßt, seinen therapeutischen Dialogpartner »mitnimmt«. Der Prozeß geht weiter, über diese Stunde hinaus und in einem inneren Raum, der an kein bestimmtes Setting gebunden ist. Diese Möglichkeit zur inneren Begegnung, zum weitergeführten inneren Dialog möchte ich deshalb das »therapeutische Setting, das Zeit und Raum sprengt« nennen. Diese Wirklichkeit, wenn wir sie bewußt in unsere Beobachtungen und Überlegungen einschließen, kann unsere Perspektiven erweitern.

In diesem Zusammenhang stellen sich einige grundlegende Fragen unter einem neuen Aspekt: zuerst eine ganz konkrete Frage zur Stundenfrequenz. Wir wissen, daß nicht immer hochfrequente Therapien (hohe wöchentliche Stundenzahl) die effizientesten sind, es scheint manchmal umgekehrt zu sein. Mir erscheint es sinnvoll, diese Fragen auch unter dem Aspekt der Verinnerlichung zu betrachten. Hat der innere Dialog eingesetzt, kann sich Verinnerlichung intensivieren bei weniger hoher Stundenzahl, ebenso bei gelegentlichem Unterbrechen der gemeinsamen Arbeit. Dies ermöglicht die Festigung der Erfahrung von innerer Nähe trotz der Abwesenheit. Allerdings ist es wichtig, die Möglichkeiten zur Verinnerlichung beim Einzelnen zu beobachten und das Stundenangebot danach zu richten.

Eine weitere wichtige Frage stellt sich im Zusammenhang mit dem Zeitpunkt des Beendens der Therapie. Wann ist der Klient stark genug, sein Leben ohne therapeutische Hilfe zu gestalten, wann kann er wieder allein seinen Weg gehen? Dies wird dann möglich, wenn er aus einer Quelle innerer Sicherheit leben kann, nennen wir es Urvertrauen. Um Urvertrauen zu finden, respektive wiederaufzubauen, brauchen wir nicht nur die einfühlsame Zuwendung der Bezugsperson, sondern auch Kompetenzerfahrung.

In der Therapie zeigt sich der Wunsch nach Kompetenzerfahrung häufig in der Phase, da die Beziehung verläßlich geworden ist, also wenn das Du des Therapeuten genügend verinnerlicht ist. Dann wird die Angst, ihn zu verlieren – übrigens eine häufige Angst – zurückgehen und das Bedürfnis nach Kompetenzerfahrung wachsen. Beobachtungen dieser Art legen es nahe, auch ein Phasenmodell der Therapie anzubieten, wenn es angezeigt ist.

Ein Phasenmodell der Therapie – die Beendigung der Therapie

Der Therapeut nimmt die Kompetenzbedürfnisse des Klienten wahr und bespricht sie mit ihm (und interpretiert sie nicht gleich als Widerstand). Er gibt ihnen Raum und bleibt als Quelle der Sicherheit zurück, bei der wieder aufgetankt werden kann. Er ist da, um die (Kompetenz-)Erfahrungen des Klienten mit ihm zusammen zu verstehen. Der Klient bestimmt selbst, wann und in welcher Intensität er wieder eine Phase der Zusammenarbeit sucht. So können Phasen therapeutischer oder analytischer Arbeit alternieren mit Phasen, in denen das Erlernte erprobt, die eigene Kompetenz erfahren und Autonomie in der Beziehung gestärkt wird. Dank einer so aufgebauten Autonomie, kann eine »wachstumsfördernde Beziehung« in großer Freiheit über Jahre erhalten bleiben. Die darin erlebte Gewißheit einer tragenden Beziehung in der Abwesenheit fördert Entwicklung ohne Einengung und Angst: »Jemand ist da, der mich kennt und zu dem ich in großer Freiheit zurückkehren kann«.[34] Das Phasenmodell eignet sich vor allem für die therapeutische Arbeit mit jungen Menschen. Wir haben eine solche Therapie in Phasen beispielsweise bei Corinne miterlebt. Ihre Therapieintervalle erstreckten sich über ein Jahrzehnt bewegter Geschichte von der Abiturprüfung über verschiedene Berufstätigkeiten bis zum Abschluß des Universitätsstudiums. Die konkrete therapeutische Arbeit umfaßte jeweils nur wenige Stunden beziehungsweise Wochen. – Das Phasenmodell hat auch eine Dialektik von Nähe und Abgrenzung für uns Therapeuten selbst. Es ist nur realisierbar, wenn ich als Therapeutin/Therapeut fähig bin, Nähe zu geben und zugleich loszulassen, Abschied zu nehmen und zugleich verfügbar zu bleiben. Jede therapeutische Phase endet für mich als Therapeut mit dem Durchleben eines wirklichen Trennungsschmerzes. Auch ich bin froh, mit dem verinnerlichten Klienten in Verbindung zu bleiben. Zugleich bewahrt es die Vertrautheit, die im Falle eines gemeinsamen Weiterarbeitens schon da ist und trägt.

Das Phasenmodell und die Fragen, die den Abschluß einer Therapie begleiten, beruhen auf der Vorstellung, daß der Andere verinnerlicht wird, daß er dadurch ein innerer Dialogpartner und Weggefährte bleibt. Eine Therapie kann beendet werden, wenn der Therapeut genügend verinnerlicht ist. Der therapeutische Prozeß wird innerlich weitergehen als dialogisches Unterwegs-Sein mit einem wachstumsfördernden inneren Du. In diesem Sinne geht jede gute und vertiefte Therapie weiter, denn der ganzheitlich verinnerlichte Therapeut bleibt mit dem Klienten unterwegs als »neues inneres Du« (Schelling 1991), als »innerer Gefährte« (Stern 1992). Die innere Begegnung bleibt eine Kraft der Erneuerung, darum ist jede tiefergehende Therapie ein immer nur begonnener Weg mit einem wachstumsfördernden Anderen.

Das erinnerte Du – das erinnerte Ich

Der Weg zum erinnerten Ich[35] führt über das erinnerte Du. In einer dialogischen Auffassung vom Menschen werden wir Ich, indem wir Du sagen, wir konstituieren uns in und durch Beziehung. Unser vergangenes Ich lebt in dem, was wir jetzt sind, als das erinnerte Ich mit: Das erinnerte Kind mag in uns weinen und lachen, sich einsam fühlen oder geborgen, sich auflehnen, sich zeigen, sich verbergen. Uns selbst begegnen, heißt auch dem Kind begegnen, das wir waren, dem Jugendlichen, dem jungen Erwachsenen ... Wenn wir ihnen begegnen, kommt uns auch das Du jener Zeit entgegen: das erinnerte Du. Damit werden die lebensgeschichtlich verinnerlichten Beziehungen wieder lebendig und neu erfahrbar.

Im folgenden soll eine Skizze von Begegnungsformen mit dem erinnerten Du gezeichnet werden. Es sind innere Begegnungssituationen aus kürzeren oder längeren therapeutischen Prozessen. So wie wir in einer Therapie alle Theorien zeitweilig loslassen, um in existentieller Offenheit auf einen Klienten zuzugehen, so möchten auch die Bilder der Begegnungen mit dem erinnerten Du möglichst frei sein von theoretischer Voreingenommenheit oder theoretischer Nacherklärung. Sicher liegt in solchen Begegnungsbildern, wie wir sie in der Praxis sehen, eine Fülle von neuen Zugangsmöglichkeiten zum Erleben des Klienten. Diesem Erleben Raum geben, es zulassen und miterleben ist ein wichtiger Weg zum Verstehen der inneren Lebensgeschichte. Der emotionale Zugang wird begleitet, vielleicht manchmal erst gefolgt, vom theoretischen Erfassen und Einordnen des Geschehens.

Von der Gegenidentifikation zur Integration

»Nicht dich sein«: das erinnerte Du als Gegenidentifikation ist eine Beziehungsform, die zu einer Desintegration führen kann, in der wichtige Anteile der Person nicht gelebt werden. Das Leiden daran führt vielleicht in eine Analyse. Bei Michael war es so, und die Auflösung der Gegenidentifikation kündigte sich in einem Traum an.

Michael steht vor dem vierzigsten Geburtstag. Akademiker auf dem Höhepunkt einer erfolgreichen beruflichen Entwicklung. Aber irgend etwas fehlt ihm. Im ersten Gespräch legt er elegant seine Lebensgeschichte hin, wie außerhalb ihrer stehend, und sagt, daß er »an einer unerträglichen inneren Geschichtslosigkeit« leidet. Sein Leben kommt ihm vor wie eine Landschaft voller erratischer Blöcke, er erlebt darin keinen Zusammenhalt. Er hält das nicht mehr aus. – Ein Traum: Er soll zum Haus 40, er sucht es, tritt ein. Sein Vater erwartet ihn dort, Michael erlebt heftige Sehnsucht und Ablehnung zugleich. – Michael erinnert sich: Sein verstorbener Vater, engagierter Arzt, war zugleich ein geisteswissenschaftlicher Denker. In jeder freien Minute hielt er sich in seiner sehr umfangreichen Bibliothek auf und las. Die Mutter interessierte sich nicht für seine Welt, sie entwertete durch ihre Haltung das Suchen und Fragen des Vaters. Abends und am Wochenende verkehrten in ihrem Haus Wissenschafter, die mit dem Vater Arbeitskreise zu Gegenwartsfragen bildeten. Michael erinnert sich: Faszination und Ablehnung zugleich, sehr früh erlebt. Dann aber immer stärker: Ich will nicht werden wie Du. Lebensstil, Studienrichtung, Wertwelt, Berufslaufbahn: nur immer »nicht werden wie du«. – In der analytischen Arbeit bricht nach dem Initialtraum eine starke Sehnsucht nach der Begegnung mit der Welt des Vaters auf. Während vieler Stunden sucht er mit mir gemeinsam in diese Welt einzutreten, und wir besprechen viele der vom Vater geschätzten Autoren. Er erlebt, wie nahe ihm diese Welt ist, wie er sie in sich trägt. Langsam kann er seinem verinnerlichten Vater gegenübertreten und sagen: »Ich habe dich doch immer gesucht, als ich dich so ablehnte und mich von dir abgelehnt fühlte«. Er nimmt im Verlaufe dieses Prozesses wahr, daß »ein roter Faden« die scheinbar unverbundenen Phasen seines Lebens verbindet. Nach und nach erkennt er unter den erratischen Blöcken ein sinnvolles lebensgeschichtliches Gefüge.

Von der Verschmelzung zum Prozeß der »Entschmelzung«

Im Verlust eines geliebten Du kann der Wunsch entstehen: »Nur dich in mir weiterleben lassen«! Das in der Verschmelzung verinnerlichte Du soll dadurch unverlierbar werden. In Wirklichkeit führt eine solche Verschmelzung zum Verlust des Du. Nur ein »Entschmelzungsprozeß«, vielleicht als langer Weg, vielleicht als unerwartet eintretendes Geschehen, läßt das innere Du wieder abgegrenzt erstehen und ermöglicht Begegnung und inneren Dialog.

Monique ist jetzt 52, eine auffallend schöne Frau – sie ist 52, so alt, wie ihre Mutter war, als sie starb. Monique kann nicht mehr arbeiten, ist völlig unkonzentriert und denkt nur daran, daß sie bald sterben werde. Einziges Kind einer Lehrerin und eines um mehr als eine Generation älteren Vaters, erlebt sie in der Zeit der Adoleszenz die Pflegebedürftigkeit des an einer schweren Alterskrankheit leidenden Vaters, dann seinen Persönlichkeitsabbau und den langsam fortschreitenden Zerfall bis zu seinem Tod daheim. In ihren Jugendjahren übernimmt sie mit der Mutter die Pflege des sehr alten, leidenden Vaters. – Sie macht ein Pädagogikstudium, übt danach aber keinen Beruf aus. Sie kehrt zur Mutter zurück, lebt mit ihr ein paar glückliche Jahre zu zweit, sie lesen, diskutieren, sie kann mit der Mutter über alles sprechen, was sie bewegt. Sie fühlen sich beide in ihrer Beziehung geborgen. Nach einigen Jahren stirbt die Mutter nach kurzer Krankheit. Monique ist allein, gut dreißigjährig. Während fast zwanzig Jahren begegnet sie mehrmals einem bedeutend älteren Partner, zieht zu ihm, er wird pflegebedürftig, sie pflegt ihn bis zu seinem Tod. Seit zwei Jahren arbeitet sie als Büroangestellte weit unter ihrem Ausbildungsniveau. Sie ist sehr einsam, wenn sie abends in ihre Wohnung kommt, geht sie ins Badezimmer. »Dort ist die Wand ganz weiß, und ich spreche zu der weißen Wand und erzähle ihr alles, was ich erlebt habe ...«

Nach den ersten Gesprächen frage ich Monique, ob sie liegen wolle. Sie legt sich hin. Sie bittet: »Kommen Sie näher zu mir« – Wohin? – »Da, bitte«. Sie zeigt neben ihren Kopf. Ich setze mich mit meinem Sessel so nahe, wie sie es wünscht. Sie schließt die Augen und dreht sich leicht zu mir. Ihre Haare berühren meinen Arm. Sie atmet sehr tief und bewegt, es ist mir, als atme sie mich ein. Sie spricht nicht. Nach einiger Zeit sagt sie: »Jetzt bist du wieder da ...« und ein starkes Schweigen bewegt sie. Dann: »So war es immer am Abend, so saß die Mutter bei mir, ich habe ihr alles erzählt ...«

Ich versuche zu verstehen. Monique hat aus den verinnerlichten guten Erfahrungen mit ihrer Mutter die Wunschkraft, mich um mehr Nähe zu bitten (und ich erfülle ihren Wunsch, ohne zu wissen, was daraus entsteht). Das Du der Mutter begegnet ihr in meiner Person, die einfühlend neben ihrem Bett sitzt wie einst die Mutter während der glücklichen Kindheit und Jugend und auch in den letzten Jahren des Zusammenseins. Moniques Schweigen und Atmen drückt eine starke Erschütterung aus. Das innere Du der Mutter schält sich aus der lebenslänglichen Verschmelzung heraus und begegnet ihr außen, in der Gestalt der Therapeutin. In dieser therapeutischen Begegnung findet Monique außen das innere Du der Mutter, mit dem sie verschmolzen war. Es beginnt ein Gespräch aus ihr heraus zu einem lebendigen Anderen. Es beginnt auch ein innerer Dialog mit der verinnerlichten Mutter, ein Dialog, der Abgrenzung und Abschied, aber dadurch auch neue Nähe schafft ... Monique spricht nicht mehr zur weißen Badezimmerwand, wenn sie allein in der Wohnung ist, sie ruft mich anfänglich abends oft an, um ein paar Worte zu sprechen. Nach und nach spricht sie dann, wenn sie sich allein fühlt, zu einem neuen inneren Du, das Züge der Mutter und der Therapeutin vereint. – Monique ist nach einer Kurztherapie zum ersten Mal einem gleichaltrigen Partner begegnet, den sie nicht pflegte, sondern liebte.

Von der Anpassung zur Selbstbestimmung

»So sein, wie du mich brauchst«, die Beziehungsform der (liebenden) Anpassung an das verinnerlichte Du zeigt sich im folgenden Bild.

Beat hat seinen Vater in ganz besonderer Weise verinnerlicht. Er war sein bester Freund. Als Beat fünfzehn ist, erfährt er vom

Vater, daß dieser schwer krebskrank sei, vielleicht sei Heilung noch möglich. Die Beziehung wird noch enger, Beat begleitet seinen Vater durch alle Phasen des Krankseins. Er ahnt es vor seinem Vater: er wird ihn verlieren. Zuletzt bespricht der Vater mit ihm alles, was es nach seinem Tod zu regeln gilt, übergibt ihm die Sorge für die Mutter, für die Geschwister. Der Vater stirbt kurz vor Beats Abitur. Trotz überdurchschnittlicher Intelligenz beginnt Beat zunächst kein Studium, sondern wird Krankenpfleger. So trägt er »seine Schuld an Vaters Tod« ab und bleibt nahe bei ihm. – Es ist ein weiter Weg, den er in der Analyse zurücklegt, durch viel Trauer und Schmerz hindurch. Jetzt hat er sein Medizinstudium beendet. Er weint noch oft über den Verlust seines Vaters, der ihm als Freund und Begleiter fehlt. – Es kommt eine neue Begegnung mit dem inneren Du des Vaters, kündigt sich an in einem Traum: Beat geht durch den Garten zum Haus seines Vaters. Dieser steht vor der Haustür. Beat will eintreten, der Vater versperrt ihm den Weg. Plötzlich ergreift ihn eine unerhörte Wut, er packt den Vater und schreit ihn an: »Weil ich eine Freundin habe, bin ich nicht mehr so, wie du mich brauchst!« Nach einem Handgemenge hat sich Beat den Weg gebahnt, und er tritt in »seines Vaters Haus«, das nun sein Haus geworden ist, ein.

Beat hat unaufhörlich nach dem inneren Vater gesucht. Er erlebt dabei Phasen intensiver Trauer, Trauer um verlorene Nähe. Dann erst kann er sich auch innerlich abgrenzen, dem inneren Du des Vaters im Kampf sich entgegensetzen. – In einer viel späteren Phase begegnet er dem Du des Vaters *vor* dessen Erkrankung, dem geliebten Begleiter seiner Kindheit und der frühen Jugendjahre. Dieses Du erfüllt den im Beruf stehenden Beat mit großer neuer Kraft.

Vom nicht betrauerten Verlust zum Wiederfinden des inneren Du

Ein geliebtes Du nicht betrauern, heißt es nicht verinnerlichen, es nicht mehr als anwesend erfahren zu können. Trauern in einer neuen inneren Begegnung kann in jeder Lebensphase nachgeholt werden, ein Prozeß, der oft erst in einer therapeutischen Situation möglich wird.

Yvonne, Personalchefin, 35. Alle Gebiete ihres Lebens hat sie zufriedenstellend gestaltet, nur die Partnerschaft gelingt nicht. Jeder Partner tut das gleiche: Wenn sie Probleme hat, wenn es ihr nicht gut geht, »macht er einfach zu« und läßt sie während Tagen allein und ohne Gespräch. Sie strahlt beim Erzählen frostige Kälte aus, fast unerträglich. Die Mutter? – Kühl, aber sonst eigentlich ... – Wie haben Sie Ihre Mutter genannt? – Maman, sagt sie sehr kühl. (Yvonne ist zweisprachig aufgewachsen). Und da war gar niemand, der Sie liebgehabt hätte? – Einige Bekannte, da wurde ich hingebracht, wenn die Mutter arbeitete ... Ja, und auch die Großmutter, zu der haben die Eltern mich einfach abgeschoben. – Und wie haben Sie Ihre Großmutter genannt? – Mémé ... sie wiederholt: Mémé ... und scheint etwas zu hören ... bricht in Schluchzen aus. Sie weint lange, ihre Züge werden zusehends weich und mild, fast kindlich ... »Ich habe nicht gewußt, daß ich sie so liebte. Bei ihr war ich zu Hause und geborgen. Sie starb, als ich dreizehn war, ich habe nie getrauert ...« Es ist, wie wenn mit diesem inneren Du, das wieder gegenwärtig wird, über einer eisigen Landschaft die Sonne aufgeht. In diesem wärmeren Licht versteht Yvonne plötzlich, daß eigentlich sie und nicht ihr Partner »zumacht«, wenn sie auf den Anderen angewiesen ist, aus Angst vor Zurückweisung und Verletzung. Zusammen mit ihrem Freund kann sie nach und nach neue Verhaltensweisen entdecken und einüben.

Aus der Spaltung in Liebe und Haß zur geeinten Liebe

»Ein Leben lang dich lieben und hassen«: diese gespaltene Beziehung zum inneren Du fand ich in der Praxis vor allem bei männlichen Klienten, bei denen plötzlich und für das Kind unerklärbar eine schwere Störung in die Mutterbeziehung eingebrochen war.

Er ist fünfzig, französischer Naturwissenschafter, hält wenig von der Psychologie, hat sich aber dennoch für ein Gespräch gemeldet, weil er nicht mehr weiß, ob er wirklich sterben will. Er überrascht sich immer wieder bei konkreten Suizidvorbereitungen. Der Grund ist eine Frau, die beginnt, sich von ihm abzuwenden. Zehn Jahre lang war sie seine Geliebte, eine große, intensive und vollkommen heimlich gehaltene Liebesgeschichte hat er mit der verheirateten Frau gelebt, »einer einfachen Frau mit wunderbar warmem Herzen.« Daneben lebt er mit einer Partnerin zusammen, die ihn liebt, die er aber nicht lieben kann, die er nur irgendwie braucht. – Er versteht nicht, warum ihn die Abwendung der geliebten Frau beinahe umbringt. Er spürt nur, daß die Frage: *Hat sie mich vielleicht gar nie geliebt?* ihn zur Selbstzerstörung bringt. – Bilder steigen in ihm auf: Es ist in den Sommerferien, er hütet in den französischen Alpen Schafe, ist tagelang allein in der beeindruckenden Alpenwelt. Kind aus einer bescheidenen Familie verdient er so etwas Taschengeld und kostet daheim nichts während der langen Schulferien, so ist es seit Jahren. Und einmal in den Ferien kommt die Mutter ihn besuchen, begleitet vom Vater. Eigentlich wartet er nur auf sie, so sehr liebt er sie, und wenn sie da war, träumt er in der ernsten Bergwelt noch Wochen von ihr weiter. – Diesmal kommt sie, er spürt es sogleich, anders als sonst, verschlossen. »Sie liebt mich nicht mehr ... *Hat sie mich vielleicht gar nie geliebt?*« Eine Welt bricht zusammen. Er ist jetzt zehn Jahre alt. Nie mehr kann er die Mutter anders erleben, sie stirbt während seiner frühen Gymnasialzeit. Er beginnt, Frauen zu hassen und sucht unablässig nach der großen, einen Liebe. – Erschüttert weint er, während er dem erinnerten Du seiner Mutter begegnet, den Augenblick nochmals erlebend, der sein Leben so sehr zerreißen sollte.

Vom Über-Ich zum erinnerten Du

Es soll hier nicht auf die verschiedenen Aspekte der Über-Ich-Theorie eingegangen werden.[36] Wir gehen hier nicht von Theorien, sondern von therapeutischer Erfahrung aus. Es ist lohnend, in der Therapie das sogenannte Über-Ich in eine Begegnung mit dem verinnerlichten Du hineinzuführen. Wie immer wir das Über-Ich verstehen mögen, *es entstand in einer Du-Beziehung* und *lebt fort in einer verinnerlichten Du-Beziehung*. Lassen wir in einem emotional tragenden therapeutischen Raum diese Begegnungsform mit dem inneren Du neu erstehen, so lockern sich Strukturen, Festgefügtes löst sich auf, und in der Begegnung – gerade wenn sie schmerzhaft ist – kann etwas Lebendiges, Dialogisches entstehen. Es ist ein Weg vom Über-Ich zum inneren Dialog mit den wert- und normvermittelnden inneren Beziehungsgestalten, somit ein Weg zu dialogischer Freiheit. Das folgende Fallbeispiel kann vielleicht etwas von diesem Geschehen vermitteln.

Gabriela ist eine junge Akademikerin, arbeitet engagiert in ihrem Beruf. Seit einiger Zeit macht sie eine Analyse zur Selbsterfahrung. Immer wieder kommt sie in eine ähnliche Situation: Sie hat in irgend etwas versagt, es sind meist kleine unbedeutende Fehler, das erkennt sie deutlich. Aber sie kann es sich nicht verzeihen, etwas bricht in ihr zusammen, es tut sich ein Abgrund auf. Sie weiß ja genau, das Über-Ich, die Forderung, ohne Fehler zu handeln, ja sie weiß, irgendwie hängt es mit der Mutter zusammen ... bis es in einer inneren Begegnung klar wird. Die Mutter sagt ihr: »Heute warst du nicht lieb, du mußt allein schlafengehen, ich komme nicht, um mit dir ein Abendgebet zu sprechen.« Und die kleine Gabriela liegt allein in ihrem Bettchen, keine Mutti, kein Gebet, kein lieber Gott ... keine Nähe mehr, niemand der mich liebhat, weil ich böse war ... es ist so schrecklich, daß sie die Situation fast nicht erinnern kann. »Was hast du mir angetan?« fragt sie schluchzend ihre innere Mutter. – Der Übergang vom Über-Ich zum erinnerten Du vergrößert den Schmerz, schafft aber Raum für eine neue Erfahrung, die sie in der analytischen Beziehung machen kann und die sie verinnerlicht. Es entsteht im emotionalen Raum unserer Beziehung ein neues Bild: »Heute warst du nicht lieb, drum brauchst du mich doppelt, ich setze mich zu dir, und wir sprechen zusammen ein ›Abendgebet‹ ... Kleine Kinder, die nicht lieb waren, brauchen soviel Liebe ...«

Geschichtliche Dynamik des erinnerten Du

Die Begegnung mit dem erinnerten Du ist nie abgeschlossen. Innere Beziehungsgestalten wandeln sich mit unserer eigenen Reifung in jedem Lebensalter. So gestaltet Verena (siehe S. 63), die ihre Mutter immer als »zu nahe« erlebt hat, »so nahe, daß es sie gar nicht gibt«, die innere Beziehungsgeschichte neu im Verlauf einer Therapie nach Phasenmodell.

Verena hat in intensiver Auseinandersetzung mit ihrer Mutter viele Phasen durchlebt. Sie hat sich äußerlich von ihrer immer als zu nah erlebten Mutter abgelöst und lebt aus der Distanz eine ungestörte Mutter-Tochter-Beziehung. Im Laufe einer Analyse nach Phasenmodell arbeitet sie, im Wissen darum, daß es sich nun um eine verinnerlichte Mutter handelt, an dieser Beziehung weiter. Sie hat den Eindruck, daß sie, seit sie mit ihrem Freund zusammenwohnt und als Studentin nun auch ein wenig Hausfrau ist, von der inneren Mutter beherrscht wird. »Ich bin meine Mutter«, meint sie plötzlich entsetzt. Dann kommen so verschiedene Beziehungsphasen zum verinnerlichten Du der Mutter: »Ich muß mich mit meiner inneren Mutter entzweien.« – »Ich muß meine Mutter aus mir herauszürnen.« – Dann ernüchtert: »Ich kann meine Mutter noch so heftig aus mir herausreißen, sie wächst nach wie Unkraut.« – Dann wird Verena milder, sanfter: »Wenn ich die innere Mutter umbringe, zerstöre ich mich selbst ... Ich muß sie in mir akzeptieren, aber aussortieren ... so aussortieren: ›gehört zu mir, gehört nicht zu mir, gehört zu mir‹ ... und so weiter ... Sie hat mich überfremdet. Ich sortiere sie aus ... das was bleibt, bin Ich.« Und das was der dreißigjährigen jungen Frau möglich wird, ist eine erwachsene Freundschaft zur Mutter, was zugleich ein Stück Abschied vom eigenen Kindsein verlangt.

Ein neues inneres Du

Es zeigt sich, daß in jeder tiefenpsychologisch orientierten therapeutischen Arbeit irgendwann – oft sehr schnell – eine Begegnung mit dem erinnerten Du einsetzt, dem geliebten oder gehaßten Du. Was wir im Prozeß der Begegnung mit dem erinnerten Du miterlebend freizulegen suchen, ist eigentlich das Verstehen einer inneren Beziehungsgeschichte, einer Liebesgeschichte, vielleicht einer Haß-Geschichte, die wir alle mit den frühen Beziehungspersonen durchlebt haben, mit dem Vater, vielleicht intensiver mit der Mutter, mit Geschwistern, mit anderen nahen Menschen. Wenn wir als Therapeuten darum wissen, davon sprechen und einen emotional tragenden Raum schaffen, können wir diese Prozesse fördern. Die Begegnung mit dem erinnerten Du, so zeigen uns die Erfahrungen, kann zu einer Neuentdeckung von inneren Quellen führen. Sie kann die in Schmerz, Wut oder Ablehnung blockierten Energien befreien. Sie kann Abgrenzung und damit Selbstfindung und inneren Dialog fördern. Sie kann zur Integration abgespaltener Anteile des Selbst führen und damit auch der inneren Lebensgeschichte eine neue Sinndeutung verleihen. Es kann zu Wissen um Verwundungen führen. Auch sie können, wenn sie akzeptiert und integriert sind, den Reichtum des Lebens vertiefen. Letztlich aber hat diese Begegnungsarbeit das Ziel, ein *neues inneres Du* zu ermöglichen.

Was ist das eigentlich, das innere Du, das wir in die Therapie mitbringen? Wir haben oben von der Vielfalt der verinnerlichten Du gesprochen: Wahrscheinlich ist ein Grundbild da von den frühen Beziehungen her, und dieses Bild ist überlagert von vielen anderen, die zusammen wie übereinander kopierte Photos ein Bild des inneren Du ergeben. Es ist das Bild, das unsere Beziehungserfahrungen und damit auch unsere Beziehungserwartungen und Beziehungshoffnung ausdrückt, unsere Beziehungsmöglichkeiten und auch ihre Grenzen. Wir können es das Such- oder Orientierungsbild für unsere Begegnungen nennen, denn wir können nur suchen, was wir wenigstens erahnen und in uns tragen.

Was ist das nun, ein neues inneres Du, das sich im therapeutischen Prozeß bildet? Welches sind die Wirkfaktoren eines neuen inneren Du? Wie nehmen wir es wahr? Vielleicht läßt sich sagen: Es konstituiert sich aus dem verinnerlichten Du des Therapeuten, aus seiner verinnerlichten bedingungslosen Zuwendung, seiner dialogischen Begleitung zur Selbstfindung und Selbsterkenntnis. In dieser Zuwendungserfahrung entsteht ein neues inneres Du, das uns ermöglicht, uns selbst neu zugewendet zu sein, uns neu zu sehen und zu erkennen, uns selber neu zu lieben. Wir wissen aus eigener Erfahrung, und wir beobachten es bei uns nahestehenden Menschen, wie sehr eine tiefergehende Begegnung, eine neue Freundschaft, eine Partnerschaft, unsere Selbstwahrnehmung und unseren Bezug zur Umwelt verändern kann. Auch wenn wir einen innerlich nahen Menschen vielleicht selten treffen, so ist seine Sicht unserer selbst in uns gegenwärtig: Wir erleben, daß er unser Wesen sieht, uns erkennt, uns akzeptiert. Sein Bild gestaltet uns von innen her neu. Durch ein einziges Du können wir uns erneuern, neu sehen, neu entdecken, neu erkennen, neu lieben. In einer vertieften Beziehung werden wir durch einen Prozeß der Verinnerlichung neu erschaffen, wie auch wir den Anderen neu erschaffen. Jedes Du wird für uns Menschen auch ein inneres Du, eine innerlich anwesende Beziehungsperson. Ein neues inneres Du ist manchmal so stark, daß es alle darunterliegenden lebensgeschichtlichen Du-Bilder verändern kann: die positiven verstärken, die negativen mildern. Das macht uns fähig zu neuen Begegnungs- und Beziehungsarten. Denn wir entwickeln aus glücklicher Beziehungserfahrung neue Beziehungserwartungen, neue und reichere Beziehungsmöglichkeiten, die Grenzen unserer Begegnungs- und Liebesfähigkeit weiten sich aus. Wir tragen in uns mit einem neuen inneren Du ein neues Such-Bild für die Begegnung mit Menschen, mit der Welt. Wir tragen mit einem neuen inneren Du die Offenheit der Hoffnung in uns.

So geschieht es auch in einer tiefergehenden Therapie, in einer Analyse: Wir sind einmal in einer Du-Beziehung voll akzeptiert worden, ganzheitlich und bedingungslos. Wir haben im Dialog, im inneren und äußeren Gespräch mit diesem Du uns selbst erkennen und lieben gelernt. Dieses verinnerlichte Du wird frühere schmerzhafte Du-Erfahrungen nicht auslöschen, aber doch mildern und dem früheren Erleben sanftere und wärmere Farben verleihen.

Damit schließt sich der Kreis unserer Überlegungen: Wir sind von den dichterischen Zeugnissen ausgegangen, die über Jahrhunderte hinweg Gestaltungen jener menschlichen Grunderfahrung zeigen, die in den existentiellen Worten *Du* und *Du in mir* liegen. Wir haben gesehen, daß mit Freud die tiefenpsychologische Forschung seit ihrem Beginn diese Grunderfahrungen ihrerseits entdeckt hat und versucht, sie wissenschaftlich zu erfassen. Wir haben gesehen, wie neue Ansätze der Entwicklungspsychologie die dialogische

Grundstruktur des Menschen herausarbeiten und dabei das Phänomen des inneren Du als eine Grundbedingung menschlichen Werdens neu hervorheben. Was Dichtung phänomenologisch ausgestaltet, was dialogische Tiefenpsychologie und Entwicklungspsychologie wissenschaftlich nachweisen, kann im psychotherapeutischen Prozeß als heilender Faktor erfaßt werden. *Du* und *Du in mir* sind existentielle Grundworte.

Teil IV:
Du erkennst mich, also bin ich

> ... als unverlierbare Wirklichkeit
> Schauen und Geschautwerden,
> Erkennen und Erkanntwerden,
> Lieben und Geliebtwerden.
> *Martin Buber*

Wir sprachen an einem Sommerabend in einem kleinen Kreis von Freunden, die sich alle in irgendeiner Weise unterwegs wußten, in der wirklichen Lebenssituation oder in ihrer inneren Entwicklung. Uns alle bewegte die eine Frage: »Was ist Heimat? Wo ist Heimat?« Wir sprachen von Verwurzelung, von Geborgenheit, von einem Gefühl der Verbundenheit und vielem mehr ... Dann aber formte sich in unserem Gespräch immer stärker eine Antwort heraus: *Heimat ist dort, wo ich erkannt werde.* Wenn mich ein Mensch erkennt, gibt er mir Heimat in sich, und die Welt um mich herum wird mir heimatlich vertraut. Denn ich finde mich selbst in diesem Erkanntsein und es entsteht Beziehung um mich herum. Ich finde Geborgenheit im Erkanntwerden. Wenn ein Anderer mich erkennt, kann ich mich durch ihn selbst erkennen. Ich weiß durch ihn, daß ich bin, daß ich existiere. Ich finde darin *Seinsgewißheit und Seinsgeborgenheit.* Die darin gefundene Geborgenheit ist nun in mir.

Wir bedachten auch, daß uns wohl überall nur ein partielles Erkanntwerden zuteil wird. In Freundschaften und Partnerschaften bleibt immer auch ein Stück Fremdheit. – Aber kann es ein volles Erkanntwerden überhaupt geben? Einige von uns erinnerten sich an ihre Analyse, einer Grunderfahrung von Erkanntwerden. Selbst diese Erfahrung war immer nur »Stückwerk«.

Der Wunsch, erkannt zu werden erschien uns in diesem Gespräch immer mehr als Ausdruck einer tiefen menschlichen Sehnsucht, einer Lebenssehnsucht, einer Grundsehnsucht geradezu. Nicht nur Heimat, so schien es uns, sondern Seinserfüllung finden wir im gegenseitigen, dialogischen Sich-Erkennen. Andererseits führt kaum etwas so sehr zu Verlust von Heimat als das Nicht-mehr-erkannt-Werden. Wir kennen die Verzweiflung, wenn sich vorher Erkennende nicht mehr erkennen in einer Freundschaft, in der Partnerschaft, in jeder Form liebender Beziehung. Auch zwischen Eltern und Kindern kann eine solche Erfahrung gegenseitig großen Schmerz verursachen.

Ein Freund, der lange geschwiegen hatte, meinte fragend: Suchen wir nicht nach mehr, nach einem umfassenderen Erkanntwerden? Wie, wenn wir erfahren dürften, daß wir erkannt sind, wie ein Augustinus dies als seine Erfahrung beschreibt? Vielleicht, so dachten einige, erleben wir ein volles Erkanntwerden nur in der religiösen Dimension, auch da nur als Ahnung, als Hoffnung und als Sehnsucht.

Vom Cogito zum dialogischen Cogito

Der Begriff des »Cogito« läßt uns an Descartes berühmtes »Cogito ergo sum« denken. »Ich denke, also bin ich.« Ich erfasse mich als existentes Wesen, weil ich denke. Nicht ein Anderer hebt mich ins Sein, meine Selbstwahrnehmung als denkendes Wesen verbürgt es mir.

In der französischen Geisteswelt ist das »Cogito« jedoch zu einem eigenen von Descartes unabhängigen Begriff geworden. Er hat dabei philosophisch-anthropologische Dimensionen angenommen. Als solcher wird er in einer anthropologisch-philosophisch orientierten Literaturbetrachtung verwendet, wie sie im französischen Sprachraum von Georges Poulet[37] geschaffen wurde.

Das Cogito in diesem neuen Sinn trägt in sich die Ur-Evidenz meines Daseins, hinter die ich nicht zurückgehen kann. Es drückt als Ur-Erlebnis aus, wie ich mich im Sein wahrnehme. Seine persönlich einmalige Erlebnismanifestation zeigt sich gleichsam als Erfahrung »im ersten Erwachen«. Das Erwachen zu uns selbst und zur Welt ist ein sich immer wieder vollziehendes existentielles Geschehen, vergleichbar dem morgendlichen Erwachen. Darin spüren wir den »Keim- und Kristallisationspunkt« unserer Existenz, um den herum sich unsere innere und äußere Welt konstelliert. Durch diesen Gebrauch ist das Cogito auch ein eminent psychologischer Begriff geworden: Er ermöglicht uns, psychisches Sein, Entfaltungsart dieses Seins nach innen und außen als Prozeß zu entschlüsseln. In diesem Sinne kann von einer »Diversität des Cogito« (Starobinski 1993) gesprochen werden, ein Begriff, der nicht nur für die Begegnung mit Dichtung (wie bei Georges Poulet), sondern auch für die Begegnung mit dem Anderen und seinem Universum eine reiche Zugangsmöglichkeit öffnet.

Schon früh in der abendländischen Geistesgeschichte finden wir Spuren eines ersten Cogito. Von Augustinus (354–430) sind uns Texte überliefert, die später als das augustinische Cogito bezeichnet wurden und in die Geistesgeschichte eingegangen sind. Es umfaßt drei Texte in Dialogform: Der erste Text stellt die Frage nach der Seinsgewißheit: »Ich frage dich zuerst, ob du selbst existierst«. Diese Frage nach der Evidenz meines Daseins wird in Stufen beantwortet: »Die Seele nimmt sich wahr als eine Art wirklicher Gegenwart, innerlich und nicht vorgetäuscht ... Denn wir sind, und wir erkennen, daß wir sind«. Dann folgt das eigentliche Evidenz-Bekenntnis: »Ich habe die Gewißheit durch mich selbst, daß ich bin, daß ich erkenne und daß ich mein Sein liebe«.[38] Dieses erste uns überlieferte Cogito zeigt eine Seinsgewißheit, welche die Dimension Selbstwahrnehmung, Erkennen und Selbsterkennen, Seinsbejahung umfaßt. Es muß als solches hineingestellt werden in die vom göttlichen Sein gegebene Seinsumschlossenheit, die bei Augustinus die alles menschliche Sein umfassende Dimension ist.

In der Weiterentwicklung führt diese Sichtweise zum Cogito der scholastischen Ontologie, das auf der Annahme der Creatio continua gründet: Gott erkennt den Menschen und alle Dinge in sich, und dieses göttliche Erkennen ist sein fortwährender Schöpfungsakt. Der Mensch und die Schöpfung treten ins Sein insofern sie von ihm erkannt werden. Wir dürfen das Cogito der Creatio continua umformen in eine existentielle Form, welche die Erfahrungsweise zum Ausdruck bringt: »Gott erkennt mich, also bin ich.«

Descartes »Cogito ergo sum« entstand aus der Erfahrung der Auflösung des scholastischen Weltbildes und des Verlusts der Seinsgewißheit, die es vermittelte. Eine grundlegende Neuorientierung wurde notwendig, ein Suchen nach einer letztlich ebenso absoluten Evidenz-Erfahrung. In der Zeit, da Descartes sein berühmtes Cogito formte, bezeichnete *cogitare* noch weit mehr als abstraktes Denken: Ich bin als

»Res Cogitans« heißt eigentlich »Ich bin als wahrnehmendes Sein«. Darin drückt sich noch die Nähe zum augustinischen Cogito aus. Doch vollzieht sich beim Mathematiker Descartes der Übergang zu einem logischen Cogito, das abstrakt ist und für alle unverändert gültig sein soll. – Die spätere Geistesgeschichte lehrt, daß die Erfahrung von Ur-Evidenz einmalig-persönlich ist, das heißt das Gegenteil von Abstraktion beinhaltet.

An diesem Punkt möchte ich die Frage stellen, ohne sie zu beantworten, ob von einem frühen Cogito Freuds gesprochen werden kann? Die Leidenschaft des Sich-Erkennens, das auch ein unbedingtes Suchen nach Wahrhaftigkeit und Illusionslosigkeit einschließt, würde sich so ausdrücken: »Ich erkenne mich selbst, also bin ich«, eine Selbsterkenntnis, die auch die Dimensionen des Unbewußten einschließen soll. Ein solches Cogito kann nicht nur die Vereinzelung betonen, sondern auch Seinsungeborgenheit bewirken. Das Entdecken des Unbewußten wird als Perspektivenverschiebung und als Verlust von Illusionen erlebt. Vielleicht ist die um sich greifende Erfahrung von Vereinzelung, wie sie sich in der Dichtung und der Malerei zu Beginn des Jahrhunderts ausdrückt, auch in diesem Zusammenhang zu sehen.

Das Erleben von Vereinzelung, Entwurzelung und Ungeborgenheit sind aber auch Erfahrungen, aus denen heraus zur gleichen Zeit die Begegnungsphilosophie sich zu artikulieren beginnt. In der Sichtweise der Dialogik kann von einem neuen Cogito gesprochen werden: *Ich bin, weil ich in Beziehung stehe* oder, wie Buber (1923) es ausdrückt: *Du sagend, werde Ich.* Nicht, daß ich denke, hebt mich ins Sein, sondern daß *Du mich denkst.* Wir erinnern uns an die Creatio continua der Scholastik: Gott erschafft uns immerdar durch den Prozeß seines schöpferischen Erkennens. Wir sprechen von einem vergleichbaren Geschehen in der Dimension der menschlichen Beziehungswirklichkeit. Erst das Erkanntwerden durch einen liebenden Anderen ruft mich ins Sein. Das Erkanntwerden ist das Ur-Erleben meiner Existenz, auf das ich immer neu angewiesen bin. Wir stellen diese Grunderfahrung als Seinsgewissheit dem cartesianischen Cogito entgegen und sprechen von einem *dialogischen Cogito*: »Du erkennst mich, also bin ich.«

Wir wollen dieses dialogische Cogito aufspüren, da wo die größte Lebensintensität ist: in der Begegnung Liebender, wie ihr die Liebeslyrik Gestalt gibt.

Erkanntwerden und Dichtung

Existentielle Erfahrungen des Erkanntseins
Die Liebeslyrik

In der Liebeslyrik zeigen sich Grunderfahrungen dialogischen Erkanntwerdens, die wir mit jenen des kleinen Kindes vergleichen können (»Regression«). Es sind Ur-Erfahrungen, die aus dem liebenden Blick, aus der Berührung den Menschen erschaffen. Die Liebenden erwachen im Blick und in der Berührung des Anderen zu sich und zum Du. »Du schaust mich an, und ich bin« ist diese verdichtete Erfahrung.

Lyrische Texte von Gioconda Belli[39] wirken durch die Kraft ihrer Unmittelbarkeit und lassen etwas von der Ursprünglichkeit dieser menschlichen Grunderfahrung miterleben.

Wir alle, sagt die Lyrikerin, wir suchen das Erkanntwerden und Erkennen im Blick eines Anderen, wir suchen

> Spiegel, darin zu schauen
> einen Menschen der uns ansieht
> mit unserem gleichen Lächeln,
> mit unserer gleichen Zärtlichkeit
> der uns aus der Einsamkeit vertreibt

Im Berührtwerden erwachen zwei Menschen zu sich selbst, sie wecken sich: »Hände ... wecken dich bringen dich zum Tag«. Berührung zweier Menschen ist ein elementarer Neubeginn, ein »Weltenanfang«. Für zwei sich gegenseitig »Erahnende« ist Berührung der »uralte Weg der Erkenntnis«.

Blick und Berührung wecken den Anderen, »von innen« zu sich selbst, zu seiner Leiblichkeit: »Deine Augen suchen mich – und die meinen lachen – es lacht mein Körper von innen«. Jeder existiert, weil

> du mein Leben betratest
> durch eine Tür aus Bäumen und Mittagssonne
> um mich anzuschauen wie jemand der begreift
> was das Herz kaum stammelt.

Im Angeschautwerden erwacht auch das Wort.

> Ich singe Gedichte und Lieder
> mein Geliebter
> sobald du mich ansiehst

Einer erkennt im Anderen die Welt und auch die Innenwelt seiner Wünsche, seiner Sehnsucht, seiner Träume, entdeckt und befreit einer im Anderen.

> So drehe ich die Sanduhr
> und male auf lange Pergamente das Wesen
> meines Glücks
> Das Erwartete wird kommen
> aus Nebel und Rauch
> wird Mensch werden und mich bewohnen

In diesen Träumen ersteht eine neue Welt, sie wird für die Liebenden bewohnbar gemacht: »Ich webe Träume aus Zweigen und Gräsern und berühre die Felsen: Wasser soll strömen in dem wir uns baden«. Sie selbst erschaffen sich neu: Sie »kleiden sich in Liebe«, sie »umhüllen sich mit Freude«, sie tragen »Sterne in den Händen«, »Schmetterlinge sprießen aus meinen Fingern«. Sie »erdenken« den Anderen, erfinden ihn neu, erschaffen ihn: »Mein Lachen brach Blüten aus seinen Zweigen, jede meiner Bewegungen lockte neue Blätter und Früchte hervor, ... ich wußte, daß er mich dachte«.

Erkanntwerden öffnet den Erlebnisraum zur Kindheit hin:

> Noch einmal mich wiegen im wehenden Wind
> schäumende Welle
> Meer über den Klippen meiner Kindheit
> Sterne in den Händen

> lachende Lampe auf dem Weg zum Spiegel
> in dem ich mich wieder schaue
> heilen Leibes
> beschützt
> an die Hand genommen

Im Blick des Anderen gehalten sein, gewährt Schutz gegen Zerstörung, läßt gegen das Absurde Sinnhaftigkeit erstehen.

> Du und ich,
> auch wir gehalten im Raum unserer Blicke.
> In der Welt, draußen, fällt Kugelregen
> wir sind zusammen ...
> vereint gegen die Prophezeiungen,
> gegen den Krieg und das Absurde.
> Unterschlupf vor der Atombombe.

Zeit wird neu erfahren, wird zum »runden Raum der Zeit dieser Nacht, in der ich deinen Namen rufe«. Liebende leben »einen Augenblick in dem die Welt sich über der Stimme dreht«. Miteinandersein läßt alle Zeit zum Heute werden: »Denn hier sind wir heute. In diese Minute paßt das Weltall«.

Es weitet sich der Raum um die Liebenden aus zum Universum; die Weite des Universums wird bergend und vertraut.

> In einem Augenblick
> rückt die Unendlichkeit zusammen
> die furchteinflößende Herrlichkeit
> wird heimisch vertraut

Diese lyrischen Bilder entwerfen Grunderfahrungen liebenden Erkanntseins und Erkennens. Liebende erwachen im Blick des Anderen zu sich selbst, sie werden Leib in der Berührung, sie erwachen zum Wort. In ihrer Begegnung weiten sie Raum aus, erfahren Zeit und wissen sich doch im Heute geborgen. Im Erkanntwerden entdecken sie auch die gestalterische Kraft von Wunsch und Traum: Mit den Kräften der schöpferischen Phantasie erschaffen sie sich selbst, den Anderen und die Welt neu.

Die spirituelle Dichtung: Augustinus, Bekenntnisse

Sich selbst erkennen im Erkanntwerden durch den erkennenden Gott – so könnten wir eine wichtige Grundthematik der spirituellen Dichtung – religiöse Texte im engeren Sinne, religiöse Lyrik, Texte der Mystik – umfassen. Eine Grundsehnsucht, erkannt zu werden, findet Ausdruck in vielen Bildern durch die Geschichte der spirituellen Dichtung hindurch. Die Beziehung zum Göttlichen als einem Du, das mich erkennt, drückt sich überall da aus, wo eine Personhaftigkeit Gottes angenommen wird.

Auf diese Weise verbinden sich Sehnsucht, erkannt zu werden und Sehnsucht, sich selbst zu erkennen zu einer ungeteilten Grunddynamik bei Augustinus, vor allem in seinen Bekenntnissen, seinem »modernsten« Werk. Augustinus beschreibt sein Suchen so: »Du immer gleicher Gott, mich möchte ich, dich möchte ich erkennen« (Soliloquia, S. 73).

Immer wieder spricht Augustinus in seinen Bekenntnissen Gott als jenen an, der ihn erkennt: »Laß mich dich erkennen, der du mich kennst, erkennen, gleichwie ich erkannt bin« (1992, S. 247). Der Weg zur Selbsterkenntnis ist ein Weg zum erkennenden Gott, denn »Dir also, Herr, bin ich bekannt, du weißt, wer ich bin« (S. 247).

Das göttliche Erkanntwerden verwirklicht sich auch in einer zeitlichen Dimension durch die Kraft des menschlichen Gedächtnisses: »Groß ist die Macht des Gedächtnisses, gewaltig groß, mein Gott, ein Tempel, weit und unermeßlich. Wer kann es ergründen? Eine Kraft meines Geistes ist's, zu meiner eigenen Natur gehörig, aber ich vermag nicht ganz zu erfassen, was ich bin« (S. 256). Augustinus will sich im Dialog mit dem Zeitlosen in seinem Gedächtnis erforschen: »... jetzt sind's nicht des Himmels Räume, die ich durchforsche, nicht die Entfernungen der Gestirne, die ich messe, nicht der Erde Gewichte, die ich abwäge, sondern ich bin's, der ich mich erinnere« (S. 265). Das Erinnern als eine Grunddimension der Selbsterkenntnis ist für Augustinus nur möglich in der Offenheit dem göttlich Erkennenden gegenüber, der den Menschen ganz umfaßt. Denn »mein eigenes Gedächtnis kann ich nicht begreifen und bin doch selbst von ihm umfaßt« (S. 265). Gott wird angerufen als derjenige, der sich der Vergangenheit des Menschen besser erinnert als dieser selbst, denn Gott ist es, der die Zeitdimension des menschlichen Lebens immer wieder gegenwärtig setzt. Zu ihm kann Augustinus darum sagen: »Ich weiß nicht mehr ... Du weißt es, Gott, denn mir ist's entfallen« (S. 103). Das göttliche Erinnern ist wahrer als das eigene, im Wissen darum kann die Wahrhaftigkeit allen Erinnerns in seinem Blick geprüft werden: »So ruft mir's mein Gedächtnis zurück. Trifft es auch zu ...? Offen vor dir liegt mein Herz und meine Erinnerung ...« (S. 120).

Selbstbegegnung ist für Augustinus letztlich immer auch Begegnung mit Gott. Außerhalb dieser Dimension führt Selbstbegegnung zu einem Fallen ins Leere. »Suchte ich meine Seele zur Ruhe zu betten, glitt sie ins Leere und fiel auf mich zurück« (S. 97). Selbsterkennen wird ein Suchen nach einem umfassenden Erkanntwerden durch den erkennenden Gott, der »innerlicher als mein Innerstes« (S. 78) ist.

Der innere Dialog in Anaïs Nin, Tagebücher 1920–1921

Im Vorwort zum Tagebuch der siebzehnjährigen Anaïs schreibt ihr Bruder: »Vermutlich war ihr Tagebuch anfangs ein langer, imaginärer Brief an ihren Vater, aber es wurde sehr bald zu einem realen Brief an *ihre* Welt«. Am Anfang ihres Schreibens stand also »die große Sehnsucht in Anaïs' Leben, die große Leere, die nach der Trennung der Eltern durch die Abwesenheit ihres Vaters entstand«, die Sehnsucht nach einem geliebten Du, das nur noch innerlich erreicht werden konnte (S. 6).

Wie hat Anaïs Nin in ihrem Tagebuch einen Dialog mit dem erkennenden Du gestaltet? Sie spricht das Tagebuch immer wieder an als ein Du, das um sie weiß und mit dem sie alle Dinge besprechen kann. (S. 12 u. 13). Dieses Du ist sozusagen der innere Weggefährte, der an allem teilhat:

»Wir studieren und entdecken Dinge, du und ich ... Ich will ... daß du meine intensiven Reisen in die Welt der Wissenschaft teilst, mit mir zweifelst und lernst, entdeckst und staunst« (S. 77).

Diesem Du darf sie auch ihre schlechten Seiten anvertrauen, denn sie weiß sich von ihm akzeptiert, so wie sie ist: »Ich weiß, daß du mich dafür nicht hassen wirst, auch nicht für irgend etwas anderes« (S. 58). Das innere Du des Tagebuchs kann ihr Erleben richtig deuten, denn »Du kannst es immer wieder zurechtrücken, da du mich ja so gut kennst« (S. 141). Sie fühlt sich von diesem Du voll verstanden, es ist ihr emotionaler Resonanzraum: »Tränen, Lachen, all die unzähligen Dinge, die mich bewegen, verzaubern, erregen, entzücken, in Erstaunen versetzen oder schwach machen, alles was ich höre und sehe und fühle und denke – alles, alles fließt in deine Seiten ein« (S. 184).

Durch dieses Du findet sie die zeitliche Kohärenz ihrer stürmischen Entwicklung, denn es bewahrt die Gegenwart, die zur Vergangenheit wird. »Der letzte Tag eines Monats und die letzten Seiten eines Tagebuchs! ... All meine Tränen sind auf deine Seiten gefallen, jedes Lächeln von mir hat zu dir gestrahlt ... Du bist die Schatztruhe der Dinge, die mir am teuersten sind – der Bilder eines Menschen, der niemals wieder leben wird, der Bilder von einem Mädchen von heute, das morgen schon älter sein wird. Die Zeit ist der größte aller Diebe, sie trägt Dinge fort, die nie ersetzt oder wiedergeboren werden ... So bewahre hier für mich all die Dinge, die ich dir gegeben habe ... Sie gehören mir nicht länger, sie sind dein. Ich liebe sie in dir ... du wirst sie für mich bewahren« (S. 76f.).

Letztlich aber und wohl im tiefsten sind es ihre Träume, ihre Visionen, die sie diesem inneren Du anvertrauen kann: »... doch es gibt nur einen Grund, warum ich dich geschaffen habe ... Ich habe Träume ... und ich will nicht, daß sie sterben«. Es ist das Ich dieser Träume, das sie dem inneren Du anvertraut: »Es ist mein besseres Ich, das Ich meiner Ideale und Entschlüsse, das gegen das traumlose Ich mit seinen Fehlern und Schmutzflecken ankämpft, und sie kämpfen auf deinen Seiten. Allein deine Macht der Spiegelung ist mehr wert als alle Predigten und Ratschläge der Welt« (S. 220). Dieses Du glaubt mit ihr an ihre tiefste Wirklichkeit, nämlich ihre Träume: »Mein Leben besteht aus Träumen; sie sind meine Wirklichkeit. Bitte glaube an sie, wie ich an sie glaube. Es wird noch zu viele Jahre geben, in denen wir sie analysieren und an ihnen zweifeln werden« (S. 221).

Sie fühlt, daß sie dieses innere Du braucht, um sich nicht zu verlieren. »Ich will dich nicht verlieren, denn dann verliere ich mich selbst!« (S. 207). Das Schreiben, so versteht sie ihren inneren Dialog, ist ein Gespräch mit dem eigenen Herzen, denn sie spürt »das Verlangen nach meiner Feder« und »die ehrliche Freude, mit meinem eigenen Herzen zu sprechen – weil ich allein bin«. In diesem Alleinsein kann sie dem inneren Du sagen: »Ich habe mich selbst gefunden ... Meine Erkundungen in den Tiefen werden nur zwischen dir und mir stattfinden« (S. 363).

Anaïs Nin hat sich ein inneres Du geschaffen, ihr Tagebuch. Wer ist es wirklich, dieses Du? Ein Du, das mit ihr unterwegs ist. Ein Du, von dem sie sich erkannt weiß, ein Du, von dem sie sich angenommen fühlt, auch mit ihren dunklen Seiten. Ein Du, das Vergehendes bewahrt, ein Du, in dem sie Gelebtes weiter lieben kann. Ein Du, das ihre Träume teilt und sie lebendig erhält ... Ein inneres Du – ist es ein Traum-Ich, ihr eigenes Herz, mit dem sie spricht, ihr Tiefen-Ich? Welche Kräfte in ihrem Leben haben dieses wunderbare innere Du erschaffen? – Ich möchte diese Frage so stehenlassen. Für uns ist dieser lebendige Dialog ein Phänomen, das zeigt, wie im Erkanntwerden, dem inneren Erkanntwerden, ein werdender junger Mensch sich selbst begegnet, sich immer neu entdeckt, entwirft und sich nach seinen Träumen erschafft ...

Existentielle Erfahrungen des Nicht-Erkanntseins

In der gleichen Intensität wie die Grunderfahrungen des Erkanntwerdens zeigt sich in der Literatur auch das Phänomen des Nicht-Erkanntwerdens. Unser Jahrhundert scheint reicher an dichterischen Zeugnissen einer unerfüllten Wirklichkeit; Werke von bedrängender Intensität veranschaulichen die Dimensionen des Nicht-Erkanntwerdens. Der Mensch ohne Namen steht als Vereinzelter in einer Schöpfung, in der die Dinge ihren Namen und den lebendigen Zusammenhang verlieren.

Franz Kafka: »Du erkennst mich nicht, darum darf ich nicht sein«

»Du erkennst mich nicht, darum darf ich nicht sein« kann als das Cogito Kafkas betrachtet werden. In seinen frühen Erzählskizzen, in den späteren großen Erzählungen, in seinen Romanen ist der »Anspruch auf Leben« in Frage gestellt und die Unmöglichkeit zu leben und zu lieben erfahrbar gemacht. Kafka gestaltet in seinen Werken die Einsamkeit der Selbstbegegnung, das Verstummen des Dialogs, der in einen antwortlosen Schrei übergeht, die Entfremdung und Selbstentfremdung, die Entwurzelung, den Untergang als Sinnverlust oder Verlust des Anspruchs auf Leben. Kafkas Werk spricht sich mit so großer Fülle zu dieser Thematik aus, daß ich mich in diesem Rahmen auf die Analyse einer Erzählung beschränken möchte, die uns die Auswirkung des Nicht-Erkanntwerdens als kafkasche Grundsituation zeigt.

Die Verwandlung – Nicht-Erkanntwerden als Selbstentfremdung[40]

»Als Gregor Samba eines Morgens aus unruhigen Träumen erwachte, fand er sich in seinem Bett zu einem ungeheuren Ungeziefer verwandelt«. Er versuchte wieder einzuschlafen, um seinen Zustand zu vergessen. Aber er konnte es sich nicht verbergen, er war ein anderer geworden, ein sich selbst völlig Fremder, eine leibhaft gewordene Selbstentfremdung. Die Mutter rief ihn mit sanfter Stimme (er sollte zur Arbeit gehen, er arbeitete, völlig selbstlos, um die Schulden seines Vaters zu tilgen.) »Gregor erschrak, als er seine antwortende Stimme hörte, die wohl unverkennbar seine frühere war ... in die sich aber etwas Fremdes mischte, das die Worte förmlich nur im ersten Augenblick in ihrer Deutlichkeit beließ, um sie im Nachklang derart zu zerstören, daß man nicht wußte, ob man recht gehört hatte«. Gregor versuchte sich zu erheben: »Er war begierig zu erfahren, was die anderen, ... bei seinem Anblick sagen würden«. Man verstand offenbar seine Worte nicht mehr, aber man war bereit, ihm zu helfen: »Er fühlte sich wieder einbezogen in den menschlichen Kreis.« Die Tür konnte geöffnet werden, Gregor erschien im Wohnzimmer als großer Käfer; der eine wich zurück vor Entsetzen »als vertreibe ihn eine unsichtbare, gleichmäßig fortwirkende Kraft«, die Mutter machte ein paar Schritte auf das Ungeheuer zu und fiel dann hin, »der Vater ballte mit feindseligem Ausdruck die Faust, als wolle er Gregor in sein Zimmer zurückstoßen ... jeden Augenblick drohte ihm doch vom Stock in des Vaters Hand der tödliche Schlag auf den Rücken oder auf den Kopf ... er trieb, als gäbe es kein Hindernis, Gregor jetzt unter besonderem Lärm vorwärts; es klang hinter Gregor gar nicht mehr wie die Stimme bloß eines einzigen Vaters ... da gab ihm der Vater von hinten einen jetzt wahrhaft erlösend starken Stoß, und er flog, heftig blutend, weit in sein Zimmer hinein«. Die Schwester kam als einzige, ängstlich, »als sei sie bei einem Schwerkranken oder gar bei einem Fremden«, versorgte ihn mit Nahrung, jede Berührung meidend. Niemand versuchte mit ihm zu sprechen, »denn da er nicht verstanden wurde, dachte niemand daran, auch die Schwester nicht, daß er die anderen verstehen könne«. Er war für die anderen zum Objekt geworden, sie sprachen in der dritten Person über ihn. »Was er nur wieder treibt«, sagte der Vater zur Mutter. Gregor aber dachte einfühlend an die anderen. – Alle begannen, ihn als Nicht-Existenz zu betrachten, schließlich »räumten sie sein Zimmer aus; nahmen ihm alles, was ihm lieb war«. Sein Raum wurde zur »Abfallkiste der Familie«. Er selbst wurde gleichgültig, er säuberte sich nicht mehr, schleppte Abfall auf sich herum und war ganz staubbedeckt. Gregor wurde aus dem Tier zum Untier, verlor seinen Namen. Die Schwester verkündete den Eltern: »So geht es nicht weiter. Wenn ihr das vielleicht nicht einsehet, ich sehe es ein. Ich will vor diesem Untier nicht den Namen meines Bruders aussprechen und sage daher bloß: wir müssen versuchen, es loszuwerden«. Der Vater, der den zum Ungeziefer gewordenen Sohn nie angesprochen hatte, argumentierte: »Wenn er uns verstünde ... dann wäre vielleicht ein Übereinkommen mit ihm möglich. Aber so«. »Weg muß es«, rief die Schwester, »das ist das einzige Mittel, Vater. Du mußt bloß den Gedanken loszuwerden versuchen, daß es Gregor ist. Daß wir es so lange geglaubt haben, das ist ja unser Unglück. Aber wie kann es denn Gregor sein?« ... Wenn das Untier, wenn dieses »Es« weg ist, dann »hätten wir keinen Bruder, aber könnten weiter leben und sein Andenken in Ehren halten«. Gregor wurde ausgesperrt, »kaum war er innerhalb seines Zimmers, wurde die Tür eiligst zugedrückt, festgeriegelt und versperrt«. Gregor ließ sich sterben. »An seine Familie dachte er mit Rührung und Liebe zurück. Seine Meinung darüber, daß er verschwinden müsse, war womöglich noch entschiedener, als die seiner Schwester«. Das Dienstmädchen ging früh in Gregors Zimmer, stieß Gregor ärgerlich mit dem Besen, und wie sie ihn ohne jeden Widerstand wegschieben konnte, erkannte sie den wahren Sachverhalt, »riß die Tür des Schlafzimmers auf und rief mit lauter Stimme in das Dunkel hinein: ›Sehen Sie nur mal an, es ist krepiert; da liegt es, ganz und gar krepiert‹ und stieß zum

Beweis Gregors Leiche mit dem Besen noch ein großes Stück seitwärts.« – »Nun«, sagte Herr Samba, »jetzt können wir Gott danken«. Er bekreuzte sich, und die drei Frauen folgten seinem Beispiel«. Später meldete das Dienstmädchen. »Also darüber, wie das Zeug von nebenan weggeschafft werden soll, müssen Sie sich keine Sorge machen. Es ist schon in Ordnung«. Die Familie fand sich in Frieden zusammen, das Dienstmädchen wurde entlassen, der Vater rief: »Laßt schon endlich die alten Sachen«, als er sah, daß sich bei Frau und Tochter noch eine leise Wehmut zeigte.

In fast unerträglicher Intensität erzählt Kafka die Geschichte einer Selbstentfremdung und Entfremdung, zeigt ihre langsamen, aber unerbittlich fortschreitenden Auswirkungen. Wenn der einzelne kein Du mehr hat, das ihn erkennt, verliert er seine Gestalt, verliert seinen Namen, seine Stimme – der Dialog hört auf, er ist nur noch ein Objekt für die Anderen, sein Raum wird ihm genommen. Es bleibt dem so Ausgestoßenen, dem kein Mitsein mehr gewährt wird, nur noch das hoffnungslose Sterben. Es ist die Geschichte eines Menschen, der nicht erkannt wird.

Die Umwandlung der Natur, die an der Entfremdung teilhat, beschreibt Kafka in erschütternder Weise in der Erzählung *Beschreibung eines Kampfes* (Kafka 1974, S. 219-224). Der Erzählende läßt darin zuerst eine Landschaft erstehen als sein Werk »... ich ließ den Weg immer flacher werden ... Die Steine verschwanden nach meinem Willen ... Da ich Fichtenwälder liebe, ging ich durch solche Wälder, und da ich gerne stumm zu den Sternen schaue, so gingen mir auf dem Himmel die Sterne langsam auf, wie es ihre Art ist ... ich ließ einen mäßig hohen Berg aufstehn ... Dieser Anblick ... freute mich so, daß ich als kleiner Vogel auf den Ruten dieser fernen struppigen Sträucher vergaß, den Mond aufgehn zu lassen«. Dann aber wird die als »schöpferische Belustigung« selbst erschaffene Landschaft selbst aktiv und offenbart dem in ihr wandernden Menschen die grundlegende »Unmöglichkeit zu leben«: »... plötzlich hob der Mond selbst sich hinter einem der unruhigen Sträucher ... meine abschüssige Straße schien gerade in diesen erschreckenden

Mond zu führen.« Der Erzähler sieht den Mond »versinken«, die Berge »gehören schon der Finsternis«, »die Landstraße endet zerbröckelnd«, aus dem Wald hört er »das sich nähernde Krachen stürzender Bäume«. »Erstarrt« fällt er von der Höhe eines Baumes, wo er Zuflucht suchte, verbirgt sein Gesicht, »da ich die Anstrengung, die Dinge der Erde um mich zu sehn, nicht mehr ertragen konnte.« Die Landschaft scheint vollkommen verlassen, aber er weiß: »Wenn ich am Abend allein auf den steigenden Wiesenwegen stolpern werde, so werde ich nicht verlassener sein, als der Berg, nur daß ich es fühlen werde. Aber ich glaube, auch das wird noch vergehn«.

Sartre, Huis clos – »Ich bin in deinem Blick gefangen, darum kann ich mich nicht frei entwerfen«

In einem nicht primär aus dem Erleben, sondern aus der philosophischen Reflexion erwachsenen Beitrag zur Thematik des Nicht-Erkanntseins finden wir bei Sartre nicht nur den nicht antwortenden Anderen, sondern den Anderen, der die Hölle ist. Im kurzen Stück *Huis clos* (Sartre 1945; dt.: Geschlossene Gesellschaft) sind drei Gäste, der Journalist Garcin und zwei Frauen, Inès und Estelle, allein eingeschlossen in einem Raum. Sie sind Tote, »Abwesende« nennen sie sich. Sie leben ohne Spiegel, er wurde ihnen beim Eintritt abgenommen. Da sie aber auf Spiegelung angewiesen bleiben, um zu wissen, daß sie existieren, schaut sich jeder im Auge des Anderen an, um die Evidenz seiner Existenz zu erfahren. Dadurch wird jeder der Gefangene des Anderen.

Dieses Leiden aneinander, das darin besteht, daß es unmöglich ist, der deutenden Gegenwart des Anderen zu entfliehen, steigert sich ins Unerträgliche. Sie »hören« gegenseitig ihr Denken, das ein Gedeutetwerden durch den Anderen ist. Garcin hält es nicht mehr aus, »dieses abstrakte Leiden, dieses Schattenleiden«, und er versucht mit aller Kraft auszubrechen. Mit der Wucht seines Wunsches nach

Befreiung gelingt es ihm, die Tür aufzustoßen. Der Weg nach außen ist freigelegt, aber niemand geht hinaus. »Der Weg ist frei, wer hält uns zurück?« fragen sich die Eingeschlossenen. Sie haben die Möglichkeit der Befreiung, aber keiner nimmt sich seine Freiheit.

Die Lebensgeschichte eines jeden ist festgelegt, und es ist klar: »Du bist nichts anderes als dein Leben«. Diese Lebensgeschichte ist »verfestigt« im Blick des Anderen. Jeder ist auf den deutenden Anderen angewiesen und bleibt ihm ausgeliefert: »Ich bin nichts als der Blick, der dich sieht, als dieses farblose Denken, das dich denkt ... Ich halte dich gefangen«. Jetzt ist die Hölle klar faßbar: Keine Lebensgeschichte kann von dem, der sie gelebt hat, neu gedeutet werden, keine Gegenwart kann neu erlebt werden, kein Selbstentwurf in die Zukunft ist möglich. Folterknechte sind nicht nötig, »die Hölle, das sind die Anderen«, ihr Blick, ihre Deutung legt mich für immer fest, so haben wir es gewählt. »Also, machen wir weiter.«

Sartre zeigt in diesem Kurzdrama die Zerstörungkraft eines Erkanntseins, das die dialogische Dimension nicht einschließt. Nur wer seine Freiheit ergreift, kann sich nach Sartre dieser Grundsituation entziehen.

Am Beispiel dieser wenigen Texte wird deutlich, daß die Erfahrung des Erkanntseins, des gegenseitigen Sich-Erkennens eine menschliche Grunderfahrung ist. Dialogisches Erkennen steht am Ursprung jeder Begegnung, Begegnung mit dem Anderen und Begegnung mit sich selbst. Erkanntsein und Erkennen ruft den Menschen in die Existenz, wie uns die Liebeslyrik zeigt. Sich im Blick des Anderen wissen, läßt ihn erstehen, läßt ihn sich seiner selbst erst inne werden, erweckt ihn zu einem antwortenden Wesen. Und wir sehen, wie im Erkanntsein auch der Raum um den einzelnen, seine Umwelt, neu ersteht.

In erschütternder Weise zeigt uns die Literatur auch die Wirklichkeit des Nicht-Erkanntseins: Der Dialog wird nicht möglich, oder er zerreißt, er wird zum Schrei. Der einzelne stürzt in einen antwortlosen Raum, wo keine Verwurzelung, keine Geborgenheit und keine Selbstfindung möglich ist. Diese Selbstentfremdung verändert die Beziehung zur Welt, die Dinge sind zusammenhanglos im Raum und ihres Sinnes beraubt.

Auch das Gefangensein im Blick des Anderen, der mich deutet ohne Einbezug der dialogischen Dimension – wie Sartre es zeigt –, ist ein Aspekt des Nicht-Erkanntwerdens.

Abschließend können wir festhalten, daß das Erkanntwerden von existentieller Bedeutung für uns ist und nicht nur an die frühe Kindheit gebunden ist, sondern – so zeigen uns auch die Beispiele aus dem Bereich der Literatur – das Erkanntwerden ist der tragende und uns umgebende Raum, der zum Leben in jeder Phase unseres Menschseins unerläßlich ist.

# Erkanntwerden und Begegnungsphilosophie

Der dichterischen Phänomenologie möchte ich einige philosophisch-anthropologische Überlegungen anschließen, um weitere Dimensionen des dialogischen Erkanntwerdens zu erschließen. Wir begeben uns erneut in den Raum der Begegnungsphilosophie. Diese philosophische Richtung stellt die erkenntnistheoretische Frage nach dem Erkennen des Anderen. Sie versucht das Erkennen des Du als ein Begegnungs- und Beziehungsgeschehen zu definieren.[41]

Wenn ich im folgenden Erkanntwerden teilweise mit Erkennen umschreibe, so liegt darin der Hinweis auf den dialogischen Aspekt dieses Geschehens, Erkanntwerden und Erkennen des Anderen vollziehen sich im gleichen Begegnungsmodus, und sie beinhalten immer Gegenseitigkeit. »Beziehung ist Gegenseitigkeit« (Buber 1923).

Seit den großen Begegnungsphilsophen wurde erkenntnistheoretisch hervorgehoben, daß Erkennen von Objekten und Erkennen von Menschen nicht gleich vollzogen werden kann. Die sachliche, objektive Erkenntnis beherrscht unser reflexives Denken. Aber die Person in ihrer Einmaligkeit läßt sich nicht objektivierend erfassen. Erkennen und Begegnen sind für die Begegnungsphilosophen nicht zu trennen. Begegnung wird als grundlegendes Erkenntnisprinzip gegenüber der seelischen Wirklichkeit des Anderen betrachtet. In den folgenden Überlegungen stelle ich vor allem die Perspektive Martin Bubers heraus, er hat das dialogische Prinzip in der Dimension der menschlichen Beziehungswirklichkeit sichtbar werden lassen.

Die Konstitution des Ich in der Beziehung – das Beziehungs-Ich

Buber hebt hervor, daß es kein Ich an sich gibt, sondern daß das Ich sich immer nur in der Beziehung konstituiert. »Im Anfang ist die Beziehung« (1923, S. 22). Wir könnten gemäß seiner Sicht von einem *Beziehungs-Ich* sprechen, das sich immer neu in und durch Begegnung konstituiert. So ist letztlich alles menschliche Leben ein Begegnungsgeschehen. »Ich werde am Du; Ich werdend spreche ich Du. – Alles wirkliche Leben ist Begegnung« (S. 15).

Objektives Erkennen und Beziehungserkennen

Buber unterscheidet schon in seinem ersten Entwurf des *Dialogischen Prinzips* zwei Erkenntnismodi. Er spricht von *objektiver Erkenntnis* und *Beziehungserkenntnis*. Der objektive Erkenntnismodus drückt sich aus im Grundwort Ich-Es, das Beziehungserkennen konkretisiert sich im Grundwort Ich-Du. Menschlicher Weltbezug steht immer im Spannungsfeld dieser beiden Grundworte, die beide gleichzeitig verwirklicht werden. »Es gibt kein Ich an sich, sondern nur das Ich des Grundworts Ich-Du und das Ich des Grundwortes Ich-Es« (1923, S. 8).

Wenn wir uns der erkenntnistheoretischen Unterscheidung von objektivem Erkennen und Beziehungserkennen annähern wollen, ist es nützlich, die Sichtweise der Begegnungsphilosophen mit den empirischen Ergebnissen auf dem Gebiet der Entwicklungspsychologie zu verbinden. Die Säuglingsforschung stellt ihrerseits heraus, daß sich beim menschlichen Wesen von Anfang an für *Gegenstandserkennen* und *Personenerkennen* stark unterschiedliche Verhaltensmodi zeigen. Schon beim vier Wochen alten Säugling sind Verhalten und Aufmerksamkeit einem unbelebten Objekt gegenüber deutlich anders als in der Interaktion mit der Mutter. Die Säuglingsforscher »stellen fest, daß das gesamte Verhalten der Säuglinge, während sie einen Gegenstand anschauen, ihre konzentrierte, gespannte Aufmerksamkeit widerspiegelt. Sie entwickeln nicht nur einen beobachtbaren, vorhersagbaren Zustand ›gebannter‹ Aufmerksamkeit – der ganze Körper reagiert in einer angemessenen und vorhersagbaren Art und Weise, sobald sie den Gegenstand beobachten« (Brazelton 1991, S. 124). Anders beim Erkennen der Mutter, so Brazelton weiter, in der Interaktion zwischen Säuglingen und ihren Müttern »entwickelt sich offenbar ein Zyklus, der sich bei jedem Partner beobachten läßt: Kontaktaufnahme, Rückzug und Warten auf eine Reaktion des Partners« (1991, S. 125). Das Erkennen des Anderen ist also schon zu Beginn ein Beziehungserkennen, ein komplexer Austauschprozeß zwischen zwei Partnern, ein Austausch von Signalen, Erwartungen, Antworten, in welchem von einem Partner zum anderen Interaktionsenergien fließen.

Folgen wir nun weiter Bubers Sichtweise und seiner Unterscheidung von objektivem Erkennen und Beziehungserkennen. Objektive Erkenntnis ist ein *Eigenschaftserkennen*, Beziehungserkenntnis ist ein *Ganzheitserkennen*, gebunden an die Personhaftigkeit. Das Erkennen spricht eine »Personsprache« (1923, S. 134). Buber spricht auch vom »Erschauen« des Anderen, einer Art innerer Schau, die in der Beziehung möglich ist und den Anderen in seiner Ganzheit sichtbar werden läßt. Zum Erkennen des Anderen gehört das Setzen seiner Gegenwart, das Wahrnehmen seines Wesens, ein inneres Schauen (1929, S. 166f.). In diesem inneren Schauen geschieht eine ganzheitliche Bewegung zum Du hin, es ist ein Wesensakt, »ein Gehen zu ...« (1929, S. 141). »Im Schauen erschließt sich das Wesen« (1923, S. 42).

Erkanntwerden und Sprache – die Beziehungssprache

Erkanntwerden geschieht immer auch in der Dimension der Sprache, Begegnung geschieht im gesprochenen Raum. Buber nennt es eine besondere Art des Sprechens, die *Beziehungssprache*. Er spricht vom Dialog, dem »geredeten oder geschwiegenen Dialog, wo jeder der Teilnehmer den oder die anderen in ihrem Dasein und Sosein wirklich meint und sich ihnen in der Intention zuwendet, daß lebendige Gegenseitigkeit sich zwischen ihm und ihnen stifte« (1929, S. 166). Es ist der Andere, der »*mir* etwas sagt, mir etwas zuspricht, mir etwas in mein eigenes Leben hineinspricht« (S. 152). »Immer ist mir ein Wort geschehen, das eine Antwort heischt« (S. 152). »Was mir widerfährt, ist Anrede an mich« (S. 154). Zum Raum dieser Sprache gehört auch das Schweigen, denn es gibt ein lebendiges Schweigen, ein *Beziehungsschweigen*, in welchem Begegnung geschieht und Mitteilen ohne Worte. Buber spricht von der Sprache des »mitteilenden Schweigens«, er nennt es »das zärtliche Ineinanderschweigen«. Beziehungssprache »kann sich aller Sinnenfälligkeit begeben und bleibt doch Sprache«. Der Dialog, die Zwiesprache, drücken sich im Zeichen, in Laut und Gebärde, aus. Im Beziehungsgeschehen kann Zwiesprache auch Grenzen übersteigen und so dicht sein, daß der Dialog »in seinen höchsten Momenten« sich »vollendet außerhalb der mitgeteilten oder mitteilbaren Inhalte ...« Diese »Verdichtung des Wortes« kann so intensiv sein, daß darin »Kommunikation zur Kommunion« wird. Das Wort wird sozusagen leiblich faßbar, es geschieht eine »Verleiblichung des dialogischen Wortes« (Buber 1929, S. 141-144).

Erkennen als Anerkennen und als Erschaffen des Anderen

Erkennen kann nicht getrennt werden von Anerkennen. So sprechen wir im »Grundwort, das stets eine Bejahung des angesprochenen Wesens einschließt« (Buber 1923, S. 20) die Anerkennung mit aus. Im Anerkennen liegt also wesentlich eine Bestätigung des Anderen, es wird »das Wesen, dessen Anderheit von meinem Wesen angenommen, ganz existenzdicht mir gegenüber« (Buber 1929, S. 183).

Den Anderen erkennen und anerkennen heißt auch, ihn neu erschaffen. Buber umschreibt dies als »Hervortreten

lassen und zur Gegenwart werden lassen einer Person«
(1929, S. 170). Er beschreibt diesen Vorgang mit dem Begriff
der *personalen Vergegenwärtigung*: Die personale Vergegenwärtigung erschließt den Anderen in seiner »Ganzheit, Einheit und Einzigkeit« (S. 185). Buber braucht dafür einfache
Bilder wie Bewegung und Grüßen, er spricht von einer
dialogischen Grundbewegung, die eine Wesenshandlung ist –
»die dialogische Grundbewegung ist die Hinwendung«
(S. 170). Er braucht dafür auch Bilder des Grüßens, beispielsweise »den ewig jungen, leiblichen Beziehungsgruß«,
wie er es nennt, das leibliche Beziehungsgrüßen »Ich sehe
dich!« (1923, S. 22). Es liegt für ihn darin das ganz ursprüngliche die Gegenwart des Anderen bestätigende Beziehungsgeschehen. Es ist ein Sehen des Anderen, ein Bestätigen
seiner Gegenwart und der Beziehung. »Nur wenn Zwei mit
allem was sie sind zueinander sagen: ›Du bist es!‹ ist die
Einwohnung des Seienden zwischen ihnen« (1929, S. 183).

Erkanntwerden als existentielle Kommunikation

Die Sichtweise Bubers kann mit einer Perspektive Karl
Jaspers' verglichen werden, wenn er »Erkanntwerden« und
»existentielle Kommunikation« miteinander verbindet. Nach
Jaspers erwächst Kommunikation aus der Unmöglichkeit
und dem Ungenügen eines nur Für-sich-Seins. »Leben in
Kommunikation heißt ›Sich offenbaren‹ – und zwar doppelsinnig: als *sich offenbaren dem Anderen gegenüber und Sich-für-sich-selbst-Offenbaren ... Mit dem Anderen und durch den Anderen werde ich mir offenbar*«. »Kommunikation als geschichtlicher, den Menschen in seiner Totalität erfassender Prozeß,
in der *zwei einmalige Selbst in gegenseitiger Schöpfung immer
erst werden.*«[42]

Vielleicht läßt sich jetzt die Bedeutung ermessen, die einer solchen Sichtweise für das therapeutische Geschehen
zukommt.

Therapeutische Dimensionen des dialogischen Erkanntwerdens

Entwurf einer kommunikativen Sichtweise des Unbewußten

Im Rahmen dieser Studie beschränke ich mich auf die Annäherung an das Unbewußte als Dimension therapeutischen Arbeitens. Im psychotherapeutischen Kontext läßt sich das Unbewußte in seinen Wirkweisen beobachten und erfassen, es läßt sich beschreiben und beobachtete Phänomene lassen sich weitervermitteln. Dabei muß der subjektive Faktor jeder Sichtweise berücksichtigt werden, denn das Unbewußte im therapeutischen Prozeß konstituiert sich als intersubjektives Geschehen. Es lebt aus der Dynamik der Begegnungswirklichkeit und der hermeneutischen Dimension. Daher ist auch das Unbewußte, wie alle therapeutische Wirklichkeit, nur in der Intersubjektivität faßbar. Es wird von einem Anderen angesprochen, und es spricht zu einem Anderen, es findet in einer dialogischen Deutung durch und mit einem Anderen zu seinem Sinn. Ricoeur spricht deshalb von einer »diagnostischen und therapeutischen Relativität des Unbewußten« (1993, S. 376), es konstituiert sich, indem es angesprochen wird und gestaltet sich so, wie es angesprochen wird.

Das Unbewußte ist auf Begegnung angewiesen, es ist kommunikativ strukturiert. In der Wunschdynamik des Unbewußten zeigt sich ein Streben zum Anderen hin, zum Du, um von ihm erkannt zu werden. Diese Sichtweise soll in den wichtigsten Aspekten kurz dargestellt werden.

Wir sprechen von einer inneren Kommunikation des Unbewußten mit den bewußten Anteilen der Person. Das Unbewußte ist angewiesen auf einen innerpsychischen Dialog, das heißt den Dialog mit den bewußten Anteilen der Person. Es muß in einer inneren kommunikativen Offenheit vernommen werden, es soll mitsprechen, wenn das Bewußtsein spricht. Denn das Unbewußte ist ein konstitutiver Anteil unserer Ganzheit. Wir können auch im Bild eines fließenden Übergangs in beiden Richtungen, von Unbewußtem zu Bewußtem und umgekehrt, etwas von dieser inneren Kommunikation ausdrücken.

Diese innere Kommunikation erschafft im wesentlichen auch die Dimension der Geschichtlichkeit unserer Existenz. Gegenwärtiges Erleben steht in innerer und meist unbewußter Kommunikation mit früherer Erfahrung. Unsere Kontinuität ist nur gesichert, wenn dieser innerpsychische Dialog zwischen Unbewußtem und Bewußtem lebendig bleibt auch als Kommunikation zwischen Gegenwärtigem und Vergangenem. Denn das Unbewußte umfaßt auch jenen Anteil des »nicht gelebten Lebens« (V. von Weizsäcker), dem wir noch keinen Raum gewährt haben, oder keinen Raum mehr gewähren. Mit dem Unbewußten umschreiben wir aber auch jenen Anteil des »noch nicht gelebten Lebens«, jenen kreativen Raum des Möglichen, den wir in der therapeutischen Arbeit immer betreten.

Das Unbewußte ist auch angewiesen auf den Dialog mit dem Anderen. Wenn es vom zugewendeten, bejahenden Du angesprochen wird, beginnt es sich zu zeigen, findet zu Ausdruck. Konkret zeigt sich das darin, daß ein Klient in der therapeutischen Begegnung zu träumen beginnt, daß seine Phantasien erwachen, kreativ werden, daß ihm Unerwartetes einfällt, der Raum des Neuen, des Möglichen sich öffnet. Ähnliche Phänomene beim Therapeuten zeigen, daß auch sein Unbewußtes angerührt und aktiviert wird durch den Anderen, daß therapeutische Träume, heilende Phantasien sich in ihm ausgestalten. All das bringt als »schöpferische Kraft des Unbewußten« (Benedetti 1992) eine heilende Dynamik in die therapeutische Begegnung.

Zu der kommunikativen Struktur des Unbewußten und seinem Angewiesensein auf den Anderen gehört auch die erstaunliche Fähigkeit, daß ein Unbewußtes direkt vom Unbewußten des Anderen berührt, angesprochen und aktiviert werden kann. Benedetti (1992) hebt diese Möglichkeit als das gemeinsame Unbewußte hervor. In eindrücklicher Weise beschreibt er[43] das Unbewußte als eine kommunikative Kraft, die im therapeutischen Geschehen von grundlegender Bedeutung ist. An dieser Stelle möchte ich seine Sichtweise in einigen Punkten nachzeichnen.

Für Benedetti ist das Unbewußte eine therapeutische Begegnungsdimension, der er sich von vielen Seiten her anzunähern sucht, sowohl in seiner therapeutischen Arbeit wie auch in seiner wissenschaftlichen Forschung.

Im Unbewußten sieht er unsere menschliche Möglichkeit, in eine Erfahrung von »Entgrenzung von Raum und Zeit« (persönliche Mitteilung, vgl. Benedetti 1994, S. 19f.) einzutreten. Durch diese Entgrenzung wird das Unbewusste zu einer Wirklichkeit, die gleichsam eine umfassende Dimension ist. Es wird zu einem Raum, der größer ist als das sich in Grenzen von Raum und Zeit erfahrende Ich, also eigentlich nicht irgendwo *im* Ich, sondern das *Ich umfassend*. Diese Sichtweise steht am anderen Pol jener »Eingrenzung« des Unbewußten auf einige noch nicht integrierte, weil verdrängte Ich-Anteile.

In der therapeutischen Begegnung – aber auch in jeder anderen intensiven menschlichen Begegnung – kann dieser Raum zu einem gemeinsamen Raum werden, in dem innere Berührung, Anruf, Antwort, Austausch als »existentielle Kommunikation« möglich ist zwischen den Sich-Begegnenden. Das Unbewußte ist für Benedetti eine »existentielle kommunikative Kraft«.

Es lebt in einem »Tiefendialog« mit dem Unbewußten des Anderen, es geschieht eine »unbewußte Kommunikation« (Benedetti 1992, S. 157). In einem Tiefendialog entsteht ein Drittes, es entwirft sich »das gemeinsame Unbewußte«, eine positive schöpferische Kraft, als Interaktion zweier Unbewußter. Benedetti nennt es das therapeutische Übergangssubjekt, eine »symbolische Verdichtung von Patient und Therapeut« (S. 205). Die heilende Integration seines Unbewußten gelingt dem Patienten »offenbar dadurch, daß er nun das sich zwischen uns sich entwerfende, positive Unbewußte integrieren kann« (S. 40). Im Unbewußten von Therapeut und Patient sieht Benedetti eine schöpferische therapeutische Kraft. »Wir müssen dem Raum der Intuition und dem gemeinsamen therapeutischen Unbewußten eine eigene schöpferische Tätigkeit zuerkennen« (S. 81).

Beim Therapeuten hat das Unbewußte auch eine diagnostische Funktion, denn die »primäre therapeutische Phantasie ist daraufhin angelegt wahrzunehmen, was der Patient in der Begegnung braucht« (S. 155). Es »folgt daraus, daß nicht nur das bewußte Selbst des Therapeuten, sondern auch sein Unbewußtes therapeutisch strukturiert sein kann, und zwar so weit, daß es therapeutische Funktionen übernimmt« (S. 155). Benedetti spricht von den »Quellen therapeutischer Libido, die im Unbewußten sind«, von »seinen reichen Reserven an therapeutischer Libido« (S. 162).

Die erfahrbare Realität einer unbewußten Kommunikation zeigt sich an der therapeutischen Wirkung von Therapeutenträumen und Phantasien, denn »derartige Beispiele sprechen für die *Migration unbewußter Phantasien von einem Partner zum anderen*« (Benedetti 1992, S. 157).

Unbewußte und bewußte Kommunikation sind nicht voneinander zu trennen, vielmehr ist ein ständiges »Ineinandergreifen von Bewußtem und Unbewußtem« (S. 162) notwendig. Nur so erkennen wir die »therapeutische Funktion des Unbewußten« (S. 163) und können sie wirken lassen.

Solche Prozesse sind nicht machbar und nicht lernbar, »es bleibt nur die Offenheit für solche Vorgänge, die richtige introspektive Wahrnehmung und deren angemessene Handhabung« (S. 153).

Dies sind nur einige Zugangsweisen zu einer kommunikativen Sichtweise des Unbewußten. Sie betrachtet das Begegnungsstreben auch in der Dimension des Unbewußten als Grundbewegung menschlichen Lebens, als Grunddynamik. Eine solche Auffassung des Unbewußten gewinnt an Bedeutung, wenn wir sie – zusammen mit der dichterischen Phänomenologie – in einige wesentliche Aspekte der Psychotherapie integrieren.[44]

Erkanntwerden und schöpferisches Wachstum

Balint (1988) weist auf den therapeutischen Prozeß des Neubeginns durch das Erkanntwerden[45] hin. Er sieht diesen Neubeginn sich verwirklichen als primäre Liebe, die erfahrbar werden kann dank der primären Übertragung, wenn sie vom Therapeuten liebevoll aufgenommen und beantwortet wird. Dieses ganze Geschehen ist ein Ausdruck des Zurückgehens auf frühere Stufen der Entwicklung – ist ein regressives Geschehen. Regression ist nach Balints Ansicht nicht mehr Abwehr, sondern sie schafft Lebensraum für Neubeginn. Regression wird somit zu einem heilenden und befreienden Geschehen. Das Wesentliche für die heilende Wirkung geschieht im Erkanntwerden in dieser Phase durch einen liebenden Anderen, denn nur das Erkanntwerden ermöglicht Neubeginn. Balint nennt diese Phase eine besonders bedeutungsvolle Phase in der Therapie, gleichzeitig begrenzt er sie auf Menschen mit einer Frühstörung. Dieser Sichtweise Balints möchte ich mich anschließen, aber weitere Dimensionen ergänzen.

Wir betrachten das Angewiesensein auf das Erkanntwerden durch ein Du als anthropologisches Konstitutiv. Diese Sichtweise haben wir herausgearbeitet aus drei Erkenntnisquellen, die wir nach der Bedeutung des Erkanntwerdens befragten: die dichterische Phänomenologie, die Begegnungsphilosophie und die Tiefenpsychologie, besonders unter dem Aspekt einer kommunikativen Sichtweise des Unbewußten. Wir haben anhand dieser drei Erkenntnisquellen verdeutlicht, daß dialogisches Erkanntwerden in jeder Lebensphase eine tragende und unentbehrliche Grundlage unseres Menschseins darstellt. Erkanntwerden ist die Grundlage unserer Seinsgewißheit, es schafft den Raum für unsere Selbstwahrnehmung, es ist in jedem Lebensalter die Quelle allen Neubeginns und aller Weiterentwicklung.

Ohne diese Voraussetzung entstehen nicht nur in der frühen Kindheit, sondern auch im Erwachsenenalter Phänomene, die der Symptomatik von Frühstörungen vergleichbar sind. Es führt zu partiellen Entwicklungsausfällen, zu Fehlentwicklungen, sogar zu Entwicklungsstillstand. Viele Menschen, die in eine Therapie kommen, haben früher oder in der Gegenwart nur ein »verzerrtes« oder ein sehr partielles Erkanntwerden erlebt. In einer Therapie ist es wesentlich, einen Raum des Erkanntwerdens zu finden und diesen Raum dialogisch zu erleben. Das Erleben des Erkanntwerdens ist für die meisten Klienten eine neue Erfahrung, in die sie nach und nach hineinwachsen, ja vielleicht sich hineinsinken lassen (»Regression«) und sie auskosten wie Verhungerte. Immer wieder sagen Klienten im Verlaufe einer Therapie: »Das Gefühl, daß Sie mich kennen, war für mich eine der glücklichsten Erfahrungen.«

Wenn nun diese Dimension für unser Mensch-Sein so wesentlich und unentbehrlich ist, muß sie in der Therapie zentral und konstant erfahrbar werden. Wir können daher Erkanntwerden nicht durch Regression, nicht durch eine Bewegung »Zurück«, sondern vielmehr durch eine innere Bewegung hin zur Mitte, oder auch eine Bewegung in die Tiefe umschreiben, durch die Bewegung »Hin-zu-den-Quellen«. Hier berühren sich Aussagen der Dichtung und der Tiefenpsychologie. Dichtung, insbesondere die Liebeslyrik, zeigt uns die Liebeserfahrung als »Urquelle des Daseins«, ein dem Geborenwerden nahes Geschehen, ein Erleben von Urerfahrungen des Kindseins. In solcher Urerfahrung geschieht Neubeginn, in und durch ein ganzheitliches und gegenseitiges Gesehen-Werden, Erkannt-Werden, Anerkannt-Werden. Nicht nur die Liebeslyrik, sondern auch andere literarische Zeugnisse geben solcher Erfahrung Ausdruck – oder sie beschreiben, wie bei Kafka, den Verlust der Erfahrung des Erkanntwerdens als Selbstentfremdung und Selbstverlust. Dieses Angewiesensein auf das Erkanntwerden, um uns selbst zu finden und um uns selbst immer in einem Neubeginn zu finden, ist uns Menschen inhärent. Wir leben nur wirklich, solange wir wachsen und neuwerden, und wir wachsen nur im Erkanntwerden.

Ich habe versucht, eine kommunikative Sichtweise des Unbewußten zu entwerfen. Die dabei erkannte Grundstruktur des Unbewußten kann als Begegnungsstruktur umschrieben werden oder vielmehr, – da es eine dynamische, »bewegte Struktur« ist – als »Grundbewegung zu Begegnung hin« erfaßt werden. Das Unbewußte ist auf Kommunikation angwiesen, es will sprechen, sprechen zu einem Du. Es strebt auf ein erkennendes Du zu, es will sich zeigen, es will erkannt werden. Erkanntwerden ist also trotz der verbalen Passivform ein aktives Geschehen: Im Erkanntwerden befreien sich Kräfte des Unbewußten, die nach Selbstoffenbarung durch Begegnung streben, die sich dem Anderen, dem Erkennenden, zeigen wollen. Es sind Kräfte aus einer schöpferischen Quelle, die nur in und durch Begegnung aufbrechen und lebendig bleiben.

»Das Unbewußte als schöpferischer Urgrund« (Benedetti 1992) soll als lebendige Quelle in allem Geschehen mitwirken, und es soll ein lebendiges Fließen zwischen Unbewußtem und Bewußtsein möglich sein. Das wäre das oben beschriebene »Sein bei den Quellen.« Das erkennende Mitsein des Therapeuten gibt solcher Erfahrung Raum, wann und wie immer sie sich zu artikulieren beginnt. Das heißt aber, daß der Therapeut selbst bei seinen Quellen ist, diese Durchlässigkeit, das freie Fließen des Unbewußten bei sich selbst zuläßt und in einer »freischwebenden Offenheit der Zuwendung« (so möchte ich Freuds freischwebende Aufmerksamkeit abwandeln) alles vernimmt, was sich zu artikulieren beginnt. Dann ist jener Dialog möglich, in dem das Unbewußte sich dem Unbewußten des Anderen mitteilt. Diese Mitteilungen werden nicht ausschließlich sprachliche Worte sein, sondern auch jene tieferen »Worte«, die sich nur im Schweigen mitteilen.

Bilder des Erkanntwerdens

Die Phänomenologie der Dichtung und die Tiefenpsychologie zeigen uns, daß erst im liebenden Erkanntwerden Lebensraum entsteht, der den Menschen zu sich selbst, zu seinen noch ungelebten Möglichkeiten erwachen läßt. Dieses Grunderleben ist eine Erfahrung, die sich in jeder tiefergehenden Therapie wiederholt. »Du erkennst mich, ich beginne zu ahnen, wer ich bin, wer ich sein könnte ...« In dieser Erfahrung des Erkanntwerdens beginnt sich ein Lebensraum zu bilden, in dem sich entleertes, fragmentiertes, vielleicht gar nie wirklich bejahtes Menschsein entfalten kann.

Was heißt nun in der therapeutischen Beziehung erkannt werden? Ist es das Erleben von Einfühlung? Das kann es auch sein, aber es ist noch mehr. Erinnern wir uns an die Texte aus der Dialogik, so wissen wir, daß es um ein Beziehungserkennen oder Begegnungserkennen geht. Dies ist und bleibt die Basis allen therapeutischen Geschehens. Das objektive Erkennen kann nur brauchbare Resultate bringen, wenn es auf der Grundlage des Beziehungserkennens basiert. Man könnte die Erfahrung des Erkanntwerdens in einer therapeutischen Beziehung vergleichen mit dem Eintreten in einen Raum, in dem ich kostbar und wichtig werde: Ich werde angeschaut in den Dimensionen meines Wesens, die ich zeigen kann und auch in jenen, um die ich selbst noch nicht weiß. In diesem Blick ist Anerkennung meines Seins, ist Bereitschaft, mit mir einen Weg neuer Erfahrung, einen Weg von Beginn an zu gehen. Dies alles drückt sich nicht primär in Worten, sondern vielmehr in einer Grundhaltung aus, die alle Eigenschaften meines Wesens (ab)wertungsfrei anspricht und berührt, auch die unbewußten. Es ist eine Haltung, die einzig danach fragt, was Leben fördert oder behindert.

Im folgenden werde ich einige Aspekte der Erfahrung von Erkanntwerden, Angeschautwerden, Bejahtsein im therapeutischen Prozeß nachzeichnen. Es sind Ausschnitte aus Therapien, Bilder des Erkanntwerdens. Betonen möchte ich noch, daß Bilder, die einen Aspekt hervorheben wollen, immer Vereinfachungen eines in Wirklichkeit sehr viel komplexeren Geschehens sind. Sie sollen nicht darüber hinwegtäuschen, daß jede Therapie eine Gratwanderung ist, ein immer wieder bedrohter Prozeß hin zu mehr Leben und Lebendigkeit. Ich habe, um die Wirkung des Erkanntwerdens aufzuzeigen – mit einer Ausnahme –, bewußt positive Bilder gewählt.

Im Erkanntwerden seine Daseinsberechtigung erfahren

Wir haben zu Beginn vom dialogischen Cogito gesprochen: »Du erkennst mich, also bin ich«. Das Erleben von Seinsgewißheit und damit verbunden Erleben von Daseinsberechtigung ist nur möglich als Beziehungserfahrung. Im therapeutischen Raum erlebe ich die Wirklichkeit des dialogischen Cogito in vielen Formen von Begegnung. Die Frage nach der erfahrbaren Lebensberechtigung ist therapeutisch bedeutsam. Viele Menschen, die uns wegen irgendeines Leidens aufsuchen, zweifeln letztlich an ihrer Daseinsberechtigung. Dieser Zweifel drückt sich vielleicht »nur« in einer Grundbefindlichkeit aus, die kaum klar erfaßt werden kann oder auf andere Gründe zurückgeführt wird. Im liebenden Erkanntwerden erfahren sie zum ersten Mal, daß sie leben dürfen.

In diesem Zusammenhang müssen wir aber auch sehen, daß Suizid als letzte Konsequenz einer verweigerten und nicht mehr nachholbaren Daseinsberechtigung zu den schmerzvollen therapeutischen Erfahrungen gehören kann.

Für Susanne, 52, war es zu spät, sie konnte eine solche neue Erfahrung nicht mehr umsetzen. – Über die Neujahrstage meldet sich eine Frau, die angibt, daß sie in großer Not ist und völlig einsam. Zum ersten Gespräch erscheint eine gepflegte, willensstark und entschlossen wirkende Frau. Sie ist zum ersten Mal in ihrem Leben in eine berufliche Krise geraten und erlebt diese als ausweglos. Durch eine kurze intensive Therapie will sie »sich möglichst schnell wieder auf die Beine stellen«. Sie hat schon mehrere Suizidversuche gemacht im Laufe ihres Lebens, beim letzten, vor fünfzehn Jahren, wurde sie in extremis gerettet. »Es war schrecklich, wieder aufwachen zu müssen«. Die Erinnerungen überkommen sie ungerufen: Einzelkind aus sozial benachteiligtem Milieu, in welchem trotz harter Arbeit beider Eltern kaum das Existenzminimum gesichert war, sollte es Susanne eigentlich gar nicht geben. Als ihre Mutter schwanger wurde, verlangte der Vater mit Schimpfen und Fluchen die Abtreibung. Die Mutter, halb bereit zu diesem Schritt, sagte sich aber plötzlich: »Einmal im Leben will ich auch *etwas für mich allein haben: ein Kind, das mir gehört*«. Sie trug die Schwangerschaft aus, ihr Mann schlug sie immer wieder mit der Absicht, auf diese Weise einen Abort herbeizuführen. Susanne lebte, die Mutter nannte das Kind Susi. Sie sagte ihm später immer wieder: »Susi, das heißt mis Sünneli« (meine kleine Sonne). Nie wurde Susanne eine andere Lebensberechtigung zuteil, als einzig Lebenssinn der Mutter zu sein, vom Vater abgelehnt. Susanne überlebte dank einer überdurchschnittlichen Intelligenz und starkem Willen: Sie wurde beruflich erfolgreich. Aber dieser Erfolg war das einzige, das sie am Leben erhielt. Zum ersten Mal gerät nun dieses »Gerüst« in jener Weihnachtszeit ins Wanken. Sie hat so vieles gemeistert in ihrem Leben, sie wird auch diesmal trotz erlebter Ausweglosigkeit einen Weg finden. Aber es brechen auch andere Schichten in ihr auf, zarte, liebesbedürftige. Zwischen der Angst, von der Therapeutin verschlungen zu werden wie einst von der Mutter, und dem intensiven Wunsch, einmal geliebt zu werden, muß sie schrecklich zerrissen sein. Nach wenigen Wochen Therapie erscheint sie nicht in der Sprechstunde. Auf vielen Umwegen gelingt es mir, jemanden zu erreichen, der die vereinsamte Frau kennt. Zu diesem Zeitpunkt ist die Beerdigung schon gewesen. Mich ergreift Schmerz und Schuldgefühl, aber zugleich fühle ich mich Susanne, die mir liebgeworden ist, nahe: Sie mußte diesmal nicht mehr erwachen.

Zu meinen Schuld- und Schmerzgefühlen kam aber eine ruhige Gewißheit, daß ich durch wenige Wochen hindurch Susanne begleiten durfte, daß ich als Therapeutin ihren Leidensweg mit ihr erkannte und mit ihr durchlitt und daß der Sinn dieses therapeutischen Weges in einer anderen Dimension liegt. Ich sehe eine vergleichbare Erfahrung bei

Benedetti, der sagt: »Da erlebte ich Ruhe und Fassung in dem Wissen, daß der Sinn des psychotherapeutischen Tuns in einem Bereich liegt, der selbst über den Tod hinausreicht« (Benedetti 1992, S. 127).

Aus einem ganz anderen Hintergrund kommt Viviane, deren Therapie wir im ersten Teil miterlebt haben. Wir nähern uns nochmals Vivianes Weg unter dem Aspekt der Daseinsberechtigung. Viviane ist hineingeboren in ein wirtschaftlich privilegiertes Milieu, sie wurde materiell sehr verwöhnt. Aber ihre Umwelt gab ihr kaum seelischen Raum, sie wurde in ihren wirklichen Bedürfnissen nicht erkannt und erlebte ihre Lebensberechtigung nicht. In der sexuellen Intimität sucht sie als junge Frau eine Grunderfahrung von Angenommensein. Sie erfährt aber immer gleichzeitig Erfüllung und totale Abweisung. Dann erlebt sie sich nur noch als Unwert, sie will sich zerstören. Wir vergegenwärtigen uns Vivianes Aufschrei mitten in der Nacht: »Lassen Sie mich endlich sterben! Warum lassen Sie mich nicht sterben? Lassen Sie mich los, damit ich endlich sterben kann ...« Es ist wie das Erzwingen einer letzten Abweisung in der Erfahrung des Angenommenseins, welches sie in der therapeutischen Beziehung erlebt. Und in diesem Suchen nach Angenommensein und dem gleichzeitigen Sich-zerstören-Wollen fühlt sie sich nach ihrem Aufschrei umhüllt von einem unbedingten Ja zu ihr. Das war Vivianes zweite Geburt.

Ich habe bis zu diesem Ereignis kaum auch nur den Ansatz einer Beziehung wahrnehmen können, und doch erlebt Viviane, daß nichts anderes sie am Sterben hindert, als das Gehaltensein in der therapeutischen Beziehung. Ich möchte ihre Erfahrung so umschreiben: »Du erkennst mich, du nimmst mich an, darum kann ich mich nicht zerstören«. Sie möchte das Gehaltensein durch die Therapeutin einerseits zerreißen, so stark ist ihr Drang zur Selbstaufhebung; dann aber läßt sie sich wie ein Neugeborenes in die erlebte Seinsbejahung hineinsinken. Auch für mich als Therapeutin war das ein Neubeginn der Beziehung zu ihr.

Deuten als dialogisches Entwerfen

Wir deuten nicht nur mit Worten, unsere ganze Begegnungsart ist ein Deuten des Anderen. Der Raum, in dem wir arbeiten, unser Blick, unsere Stimme, alles nimmt den Anderen auf – oder weist ihn zurück. Sprechen und Schweigen, alles soll ganzheitlich dem Anderen Raum zum Erscheinen, Raum zur Entfaltung geben. Unsere »freischwebende Offenheit der Zuwendung« öffnet den Anderen, gibt ihm das Gefühl des Angenommenseins. Sie bewegt auch seine Tiefenschichten und weckt in ihnen den Wunsch, sich zu zeigen. Das Unbewußte bewegt sich auf das erkennende Du des Therapeuten hin, und in dieser Bewegung kann ein schöpferischer Dialog, eine »existentielle Neudeutung« beginnen. Dieses existentielle Mitsein gibt Raum für neues Sehen, ermöglicht »gegenseitige Schöpfung« (Jaspers 1958, zit. nach Braun u. Grotzer 1989), denn auch wir als Therapeuten werden von jedem Klienten neu entworfen, neu entdeckt, neu gesehen, und wir erfahren in jeder tiefergehenden Therapie eine Seinsausweitung.

Erkennendes Mitsein ist ein Begleiten zu den Quellen des Anderen, da sein, wo er sich neu erfaßt und neu entwirft. Erkennend Raum geben für neue Bilder von sich selbst, für »Selbst-Utopien«: ausphantasieren, wer ich eigentlich bin, wer ich sein könnte.

Einige Gesprächsauszüge zeigen das konkret. Es sind Kurzausschnitte aus der therapeutischen Begegnung, Augenblicke, in denen ein Klient an seinen Quellen ist und sich in der therapeutischen Beziehung neu erkennt, neu entwirft. Es sind Augenblicke, in denen das erkennende Mit-Sein besonders bedeutungsvoll ist.

Diese Gesprächsausschnitte sollen uns auch hier nicht vergessen lassen, daß sie aus einem langen und immer wieder gefährdeten Prozeß herausgefiltert sind und somit notwendig die Komplexität des therapeutischen Geschehens vereinfachen.

Wir betrachten zunächst einige Gesprächssequenzen, die alle vom gleichen Klienten stammen. Urs war ein hochbegabtes Kind, in einem Akademikermilieu aufgewachsen. Er wurde in seiner Begabung lebendig gefördert von einem wissenschaftlich arbeitenden Vater und einer sehr feinfühligen Mutter. Diese konnte sich aber sozusagen nur durch den Sohn hindurch wahrnehmen und verwirklichen, so jedenfalls sieht Urs zu Beginn seiner Therapie zurückblickend seine Mutterbeziehung. Urs ist 37, Jurist. Er hat einige Zeit nach Beginn der Therapie ein Zweitstudium aufgenommen.

Erkanntwerden, so sagt Urs in den Gesprächsauszügen, ermöglicht mir, mich selber neu wahrzunehmen, denn so wie die Anderen mich sehen, »so habe ich mich dann auch gesehen«. Die Erfahrung, daß ein Anderer mich ganzheitlich sieht, und mir das, noch ohne Worte durch seine Begegnungsweise mitteilt, gibt mir eine erste Ahnung von meiner Ganzheit. In diesem Blick »entdecke ich mich neu«. Erkanntwerden verändert mein Selbstbild. Im Erkanntwerden ist ein Beziehungsgeschehen wirksam, das frei macht und Raum schafft für Wachstum. Dieses Erleben von Freiraum im Erkanntwerden ist für Urs besonders wichtig, er erlebte bis zur Therapie Beziehung als Verlust von Freiheit und Autonomie. Im Suchen nach intensiver Begegnung und Beziehung und gleichzeitiger Angst vor Autonomieverlust durch Beziehung erlebt Urs noch lange seinen Grundkonflikt.

»Zum ersten Mal in meinem Leben fühle ich mich erkannt: Sie haben mich erkannt ... nie vorher habe ich das erlebt: Keine Partnerin, kein Freund hat mich ganz erkannt ... immer nur Anteile von mir ... und *so habe ich mich dann auch gesehen*. – Sie haben mich erkannt, und *darin entdecke ich mich neu*.«

»Es ist auch ganz anders als es bei der Mutter war: Sie war unglaublich feinfühlig und hat alles gespürt, was in mir war. Sie hat sich immer ganz in mich eingefühlt und alles mit mir miterlebt. Das hat mich unfrei gemacht. Ich war in ihrer Einfühlung gefangen ... Von Ihnen *Erkanntwerden* ist etwas völlig Neues ... es *macht frei*. Sie erkennen mich, und das macht frei ... Sie geben mir Raum.«

Im Erkanntwerden entsteht eine Geborgenheit, die viele Absicherungen überflüssig macht. Urs empfindet das Erkanntwerden als seinen »Anker« (er ist begeisterter Hochseesegler!). Wenn er »fest verankert« ist, können alte Strukturen aufgelöst, alte Sicherungen losgelassen werden. Ein ganzheitliches Aufbrechen wird möglich, das Abenteuer der Entwicklung und des Wachstums beginnt.

Urs kommt oft hochbeschäftigt in die Therapiestunde, er wirft sich auf die Couch und sagt nach einiger Stille: »*Sie sind mein Anker*«. Eines Tages führt er dieses Bild weiter: »Sie erinnern sich, am Anfang, ich wollte aussteigen, eine Weltumsegelung machen ... nun bin ich ausgestiegen, ganz anders als ich es damals verstanden habe. Ich steche in See, ich bin schon auf Hoher See, ein riesiges Abenteuer (er meint die Analyse und das neubegonnene Studium)«.

»... Ich lasse alles los. Wie ein Stützgerüst, das man nicht mehr braucht. Ich kann in See stechen, weil Sie mein Anker sind«.

Das Erkanntwerden durch die Therapeutin wird von Urs verinnerlicht, der Anker wird zum »inneren Anker«. Urs entdeckt diese Geborgenheit in sich selbst.

Urs führt das Bild des Ankers weiter: »Da bin ich fest verankert, das gibt Sicherheit. Ich weiß, Sie kennen mich, Sie wissen um mich... Oder vielmehr, Sie sind der Anker in mir. Ich habe diesen Ankerplatz in mir selbst. Sie sind mein *innerer* Anker«.

Im Erkanntwerden sich neu entwerfen

Diesen differenzierten Prozessen, die sich im Erkanntwerden verwirklichen können, stelle ich die Erlebnisweise einer Klientin gegenüber, die ähnliche Prozesse im konkreten Handeln oder in einem »therapeutischen Handlungsdialog« erlebt. Sie erfährt sich und ihre Situation in erlebnisstarken Bildern und denkt mit und durch diese Bildsprache.

Hildegard, 45, kommt in die Therapie nach einer schweren Krebsoperation und dem Verlust ihrer nächsten Bezugspersonen. Sie war eine aktive, temperamentvolle Frau vor diesen schweren Verlusterlebnissen, die durch die Krankheit über sie gekommen sind. Nun hat sie sich zurückgezogen in ein völlig passives »Nest-Dasein«, schlafen und essen und vergessen. Sie leidet unter Adipositas und anderen psychosomatischen Symptomen, und sie ist in schwerster Weise schlafmittelabhängig geworden. Hildegard wurde in dieser sehr schweren Situation von Krankheit, Verlust und Bedrohung eingeholt von den traumatischen Erfahrungen ihrer ersten Kinderjahre, die sie mit ihrer Mutter allein – der Vater war an der Front – zum großen Teil bei Bombenalarm in Schutzräumen verbrachte. In diesen schweren Nächten versuchte die Mutter, sie in Schlaf zu wiegen trotz Bombenlärm und Lebensbedrohung. Das ist die einzige Möglichkeit, welche die erwachsene Hildegard nun sich selbst in der erlebten Bedrohung mit Schlafmitteln zu verschaffen sucht. Sie schläft über einem Abgrund von physischer und psychischer Lebensbedrohung und Hoffnungslosigkeit.

Langsam erwacht nach dieser Apathie und dem Versinken in Hoffnungslosigkeit, Sehnsucht nach neuer Partnerbegegnung. Sie erscheint in einer Therapiestunde mit einer Papiertragtasche voller Kleider. Ohne lange Einleitung zeigt sie mir Stück um Stück: »Meine liebsten Kleider, als ich noch schön war und schlank, vor der Operation ... So schlank war ich (sie zeigt ein enggeschnittenes Festkleid) ... Und das trug ich, als Reto mein Freund war, es hat ihm so gefallen ... Dieses rote Body, das werde ich wieder tragen.« Sie legt mir das für sie kostbare Kleidungsstück in die Hände. Es ist ein Gewebe aus Erinnerung an Zärtlichkeit und Sexualität, es ist ein Gewebe aus Erfahrung und neu erwachten Wünschen. Hildegard sucht meinen Blick, sie liest darin und sie erlebt, daß sie mit ihren zaghaft erwachenden Zukunftsphantasien angeschaut wird.

Der Selbstentwurf einer nicht gebildeten Klientin, sie konkretisiert ihn in einem Handlungsdialog, sie legt ihn mir gleichsam in die Hände. Sie entwirft sich neu im Raum unserer Beziehung. Ich lebe ihr Wünschen mit, ich träume ihre Träume mit.

Solche Bilder, die im erkennenden Mitsein angeschaut werden, behalten in der Therapie eine weiterwirkende Kraft. Etwas von dieser Kraft bleibt spürbar, auch wenn sich für Hildegard wieder Erfahrungen ausdrücken wie diese:

»Ich mußte nicht sterben am Krebs, ich darf leben. In Ihren Stunden sehe ich einen Berg, und ich weiß, dort oben geht die

Sonne für mich wieder auf. Ich will auf diesen Berg, ich will zur Sonne. Aber ich bin wie ein Mensch, der gehen will und keine Beine mehr hat«, und Hildegard weint erschüttert.

Durch Erschütterung und Rückschläge hindurch verliert sie das von sich entworfene Bild nicht mehr, es bleibt ein Wunsch, eine Hoffnung für sie in diesem Bild, sie sieht sich »leben in der aufgehenden Sonne«. Es ist ein Bild, das dialogisch entstanden ist und das in ihr wirksam bleibt. Sie hat es eines Tages gemalt und mitgebracht. Sie sagt: »Das ist die Therapie – sie zeigt auf das ganze Bild – das sind Sie, das bin ich, das ist das Zwischen uns«, und sie zeigt auf einen leuchtend roten Farbfleck zwischen uns. Es ist die in der Therapie aufgehende Sonne, sie entsteht zwischen uns, wir erschaffen sie gemeinsam. Das Bild wirkt in ihr als Kraft zum Durchhalten, als Hoffnung. Monate später hat sie den Eindruck, daß sie eine weite Wanderung durch eine schreckliche Wüste zurückgelegt hat.

»Ich bin am Fuß des Berges angekommen ... Es ist noch weit, aber schon näher der Sonne. Aber ich kann noch nicht zurückblicken, ich ertrage es noch nicht, zu sehen, wo ich war. Ich fühle nur, daß ich durch eine schreckliche Landschaft gegangen bin ... Aber das liegt hinter mir. Und mit Ihnen kann ich weitergehen, da hinauf.

In jeder vertieften Therapie artikulieren sich solche Erfahrungen. Auch viele Träume sind Ausdruck solcher Grunderfahrungen im Raume des Erkanntseins. Ein Anderer, der mich erkennt, anerkennt und anschaut ist dabei, wenn ich an der Quelle bin, wo ich mich selbst neu entdecke. Im Blick des erkennenden Du verstehe ich mich neu, entwerfe ich mich neu, kann ich immer neu beginnen. Es ist ein Blick, der mich liebend anschaut, der mich anders anschaut, neu anschaut, ein Blick, der mich anerkennt.

Diese grundlegenden therapeutischen Prozesse lösen sich nach und nach ab von der Therapie oder Analyse. Der verinnerlichte Blick des Anderen, das verinnerlichte Erkanntwerden führt zu einem über die Therapie hinausführenden Geschehen. Das »erkennende Du in mir« wird eine innere Quelle des Neubeginns, ein innerlich fortwirkender Prozeß.

Durch die Verinnerlichung des therapeutischen Erkanntwerdens entsteht eine neue innere Wirklichkeit: »So wie du mich erkennst, kann ich mich nun selbst innerlich erkennen, liebevoll immer neu erkennen, neu anerkennen und darin neu erschaffen«.

Damit schließt sich der Kreis unserer Überlegungen. Wir sind ausgegangen vom dialogischen Cogito: »Du erkennst mich, also bin ich«. Darin drücken wir die Annahme aus, daß nicht reflexive Selbstvergewisserung als »Ich denke, also bin ich«, sondern das Erkanntwerden durch einen Anderen die Grundlage unserer Seinsgewißheit und Seinsgeborgenheit schafft. Die Phänomenologie der Dichtung zeigt uns die schöpferischen und die zerstörerischen Aspekte dieser Dimension der Conditio humana. Begegnungsphilosophie und Tiefenpsychologie weisen ihrerseits auf die grundlegende Bedeutung des Erkanntwerdens hin.

Eine vertiefte Therapie läßt uns Seinsgewissheit, Seinsgeborgenheit und Seinsentfaltung erleben in der heilenden Erfahrung: »Du erkennst mich, also bin ich«.

Therapeutische Praxis und Wissenschaft

> Psychotherapie als »... eine Wissenschaft, die auf der Grundlage von Begegnung entsteht und eine hermeneutische Dimension in sich schließt«.
>
> *Gaetano Benedetti*

Jeder therapeutisch Arbeitende, der seine Erfahrung in einem wissenschaftlichen Zusammenhang reflektiert, ist auch ein wissenschaftlich tätiger Therapeut. Wissenschaftliche Weiterentwicklung – im therapeutischen Bereich – kann immer nur auf der Basis von Erfahrung geschehen. Im Bestreben, Praxis und Wissenschaft zu verbinden, habe ich in dieser Studie versucht, aus der Praxis kommend, therapeutische Erfahrung in wissenschaftliche Reflexion zu integrieren. Die Studie ist keiner bestimmten therapeutischen Schulrichtung verpflichtet, vielmehr will sie ein Beitrag sein zu einer allgemeinen tiefenpsychologisch orientierten Psychotherapie, indem sie nach den anthropologischen Grundlagen von therapeutischer Begegnung fragt.

Um den Zusammenhang von therapeutischer Praxis und Wissenschaftlichkeit herauszustellen, gehe ich aus von Benedettis Definition der Psychotherapie als Wissenschaft. Er definiert Psychotherapie als »eine Wissenschaft, die auf der Grundlage von Begegnung entsteht und eine hermeneutische Dimension in sich schließt« (Benedetti 1992).

... eine Wissenschaft auf der Grundlage von Begegnung

Benedetti hat in seinem letzten Werk (1992) die forschende und heilende Psychotherapie als eine Wissenschaft definiert, die auf der Grundlage von Begegnung entsteht. Wenn wir diese Definition annehmen, hat sie weitreichende Konsequenzen: Psychotherapie ist also eine Erfahrungswissenschaft. Die wesentliche Grundlage dieser Wissenschaft, die Begegnung, läßt sich jedoch nicht operationalisieren, noch weniger quantifizieren. Sie läßt sich in der therapeutischen Situation beobachten, ihre Wirkweise läßt sich beschreiben. Aber sie ist und bleibt immer subjektiv oder vielmehr intersubjektiv, es gibt nur die eine Begegnung zwischen mir und dir. Begegnung ist nicht reproduzierbar, aber sie ist nachvollziehbar. Im Nachvollziehen entdecken wir die eigene Begegnungsfähigkeit, und wir sensibilisieren uns für die Wahrnehmung von Begegnungsdimensionen in der Psychotherapie.

Nun ist aber die Intersubjektivität der Begegnung zugleich Grundlage der Objektivität. Es gibt kein gleich adäquates, komplexes Instrument für die Erfassung einer psychischen Realität wie eine andere psychische Realität. Die Intersubjektivität ist somit die notwendige Voraussetzung auch für alles objektivierende Forschen auf dem Gebiet der Psychotherapie. Subjektivität wird zur Grundlage – so paradox dies scheint – der Objektivität. Subjektivität ist somit nicht ein Störfaktor, der Wissenschaftlichkeit verhindert, sondern ist das wichtigste diagnostische und therapeutische Instrument und als solches Grundlage aller Objektivierung.

Die objektivierende Forschung setzt subjektive Erfahrung voraus. Aus der therapeutischen Begegnung erwachsen neue Fragestellungen, die ihrerseits immer wieder nur an Erfahrungen geprüft werden können. Forschung kann so gesehen werden als existentieller Prozeß, ihre Fragestellungen bilden sich aus tragenden Erfahrungen. Begegnung als Erfahrung ist somit notwendige Voraussetzung psychotherapeutischer Wissenschaft und Forschung.

Wenn wir von Subjektivität als »Störung« sprechen, dann in einem ganz anderen Sinn. Das diagnostische und therapeutische Instrument, das wir als Therapeuten *sind* und das wir in die therapeutische Begegnung einbringen, kann gestört sein. Aufgabe der objektivierenden Forschung ist es unter anderem, solche Störungen aufzudecken und dazu beizutragen, daß das Instrument »Subjektivität« verbessert und verfeinert werden kann. Subjektivität ist unverzichtbar in der Therapieforschung ebenso wie Objektivität, ihre Verbindung ist notwendig.

... eine Wissenschaft, die eine hermeneutische Dimension in sich schließt

Ein weiterer subjektiver Faktor, oder vielmehr intersubjektiver Faktor, ist die hermeneutische Dimension des psychotherapeutischen Handelns und somit auch der Psychotherapie als Wissenschaft. Wenn wir nochmals auf Benedettis Definition zurückgreifen: Begegnungsgrundlage und *hermeneutische Dimension* kennzeichnen nach ihm Psychotherapie als Wissenschaft. Therapeutisches Begegnen ist immer im weitesten Sinne ein *deutendes Begegnen*. Im ganzen Prozeß des Aufeinanderzugehens und des Mitseins geschieht gegenseitig Deutung. Diese hermeneutische Dimension ist intersubjektiv, und sie ist wie die Begegnungserfahrung ausgespannt zwischen einer kreativen Subjektivität und dem Streben nach Objektivierung. Wie die Begegnungserfahrung verwirklicht sich die hermeneutische Dimension in einem Prozeß der Intersubjektivität, es geht um das Erarbeiten und Sichtbarmachen einer »dialogischen Wahrheit« (Buchholz 1990).

... eine Wissenschaft vom Unbewußten

Die tiefenpsychologische Begegnungsweise zeichnet sich dadurch aus, daß sie Begegnung in allen Dimensionen menschlichen Daseins sein will. Sie ist auch Begegnung mit den Tiefenschichten des Anderen, mit seinen unbewußten Anteilen. Diese Begegnungsart ist nur möglich, wenn die Tiefenperson erschlossen ist beim Therapeuten selbst, wenn sein Unbewußtes das Unbewußte des Anderen berühren kann, es zu aktivieren vermag.

Im psychotherapeutischen Kontext läßt sich das Unbewußte in seinen Wirkweisen beobachten und erfassen, es läßt sich beschreiben und beobachtete Phänomene lassen sich weitervermitteln. Das Unbewußte im therapeutischen Prozeß ist untrennbar mit der Begegnungswirklichkeit und der hermeneutischen Dimension verbunden. Darum ist auch das Unbewußte, wie alle therapeutische Wirklichkeit, nur in der Intersubjektivität faßbar. Wir handeln so, und wir reflektieren unser Handeln wissenschaftlich so, daß wir »jenen unerschöpflichen Reichtum voll ausnutzen, den unser Unbewußtes birgt, und entdecken, auf welche Weise dieses wirksam sein kann« (Benedetti 1992, S. 141). Also auch eine Wissenschaft auf der Grundlage des Unbewußten.

Ausgehend von Erfahrungen aus der Praxis habe ich versucht, mich der Begegnungswirklichkeit im psychotherapeutischen Geschehen anzunähern. In dieser Sichtweise zeigen sich uns als therapeutische Grunderfahrungen folgende Aspekte:

1. Die *Begegnungsstruktur* unseres Menschseins und ihr Zusammenhang mit der *inneren Lebensgeschichte*. Unsere Lebensgeschichte als Geschichte unseres inneren Erlebens entsteht in und durch Begegnungen. Neue Begegnung ermöglicht immer auch Neu-Deutung unserer Lebensgeschichte, neue Begegnung »schreibt« sozusagen unsere innere Lebensgeschichte fort. Die therapeutische Begegnung führt zur Neuinterpretation unserer Geschichte.

2. Die *Wunschstruktur* unserer Existenz als Begegnungswirklichkeit. Um lebendig zu sein, muß unser Wünschen leben dürfen. Die therapeutische Begegnung befreit unser Wünschen, auch unser Tiefenwünschen.

3. Das Phänomen der *Verinnerlichung und des inneren Dialogs*. In der therapeutischen Begegnung geschieht gegensei-

tige Verinnerlichung. Die innere Anwesenheit des Anderen und der daraus entstehende innere Dialog ist Teil des heilenden Geschehens.

4. Unser immer neues Angewiesensein auf das ganzheitliche *Erkanntwerden* und Anerkanntwerden durch einen Anderen. Nur im Erkanntwerden ist schöpferisches Wachstum möglich. Die therapeutische Begegnung ist ein Prozeß des Erkanntwerdens und Anerkanntwerdens, auch im Begegnungsraum des Unbewußten.

Wir haben uns diesen Begegnungsdimensionen von verschiedenen Seiten angenähert: In dichterischen Aussagen finden wir sie als Ausdruck menschlicher Grunderfahrungen; auch in der Begegnungsphilosophie werden sie als Ausdruck der Conditio humana sichtbar gemacht. Erfahrungen aus der Praxis zeigen uns Bilder solcher Prozesse als heilendes und wachstumförderndes Geschehen. Diese verschiedenen Zugangsweisen integrieren wir in tiefenpsychologisch orientiertes Denken und Handeln.

Anmerkungen

1 H. Weiss (1990) versucht das Placebophänomen einzubetten in den »dialogischen Verlauf der therapeutischen Beziehung«.

2 Schon Julian Huxley hat erkannt, daß bei sozial lebenden Tieren der Ausdruck von Emotionen eine semantische Dimension gewinnt, die die Koordination des sozialen Verhaltens gewährleistet. Der Selektionsdruck arbeitet sowohl auf der Seite des Empfängers wie auf jener des Senders darauf hin, daß diese Kommunikation möglichst deutlich wird, vgl. auch Lorenz, K. (1977). Bei der »Frühgeburt Mensch« (Portmann 1968), der einen Teil seiner embryonalen Reifung extrauterin in sozialem Milieu erfährt, liegt es nahe anzunehmen, daß diese Kommunikations- und Wahrnehmungsfähigkeit bereits auf der un- und vorbewußten Ebene besonders stark ausgebildet ist.

3 Ich entlehne diesen Begriff, wenn auch in erweiterter Bedeutung, bei Lachauer 1990. Auch Condrau (1992) weist auf die therapeutische Bedeutsamkeit der Handlungsdimension hin, die vielfach als »Agieren« abgewertet wird.

4 Zum Begriff der Lebenswelt s. Schelling (1987).

5 »Le flux et le reflux de cette eau, son bruit continu, mais renflé par intervalles, frappant sans relâche mon oreille et mes yeux, suppléaient aux mouvements internes que la rêverie étaignait en moi, et suffisaient pour me faire sentir avec plaisir mon existence, sans prendre la peine de penser« (Rousseau 1972).

6 F. Riemann (in Pongratz 1973) spricht von einer fraktionierten Arbeitsweise in der Analyse oder Therapie und meint wohl etwas ähnliches. Der Unterbruch hat bei ihm aber nicht den Sinn des Experimentierens, sondern er sieht darin die Funktion einer schöpferischen Pause.

7 Diese Zusammenhänge werden herausgestellt in Schelling (1985a) und in Weiss (1988).

8 Zum Begriff der inneren Lebensgeschichte vgl. Schelling (1985a u. b; 1990) u. ders. in Bühler (1986). Ferner Cremerius J.:

Die Konstruktion der biographischen Wirklichkeit im analytischen Prozeß. In Cremerius 1990, Bd. 2, S. 398ff. Ausführlich hat die Begriffe der äußeren und der inneren Lebensgeschichte herausgearbeitet Zacher (1988).

9 Auf einer theoretischen Ebene wird diese Thematik ausgeführt von Schelling (1990).

10 Die angeführten Auszüge sind folgenden Texten entnommen: *Die lange lange Straße lang,* S. 244-264. *Die Nachtigall singt,* S. 83-85. *Vorbei vorbei,* S. 67. *Radi,* S. 187-191. *Gespräch über den Dächern,* S. 48-58. *Generation ohne Abschied,* S. 59-61.

11 Die folgenden Zitate sind entnommen aus: *Die Hundeblume,* S. 25-39.

12 Ricoeur (1993) spricht von der semantischen und energetischen Dimension des Wunsches als »Kraft und Sinn des Wunsches«.

13 »Dagegen steht die ›primär therapeutische‹ Phantasie wesentlich im Dienste der Therapie, sie ist also daraufhin angelegt, was der Patient in der Begegnung braucht« (Benedetti 1992, S. 155).

14 Vgl. dazu Benedettis Ausführungen zu Religion und Psychotherapie. Benedetti sagt: »Religion ist in meiner psychoanalytischen Sicht eine ›Objektbeziehung‹ (re-ligio), die sich von anderen Objektbeziehungen durch drei Merkmale unterscheidet: 1. Sie ist die Beziehung des Selbst zu einem letzten Endes unbekannten ›Objekt‹, das außerweltlichen Ursprungs und somit kein Objekt mehr ist; 2. Sie ist eine Selbst-Objekt-Beziehung, da Gott letztlich in der Innerlichkeit des Selbst wohnt; 3. Sie ist eine Beziehung, deren Struktur wie kaum eine andere die ganze Beziehungswelt des Menschen zu seinen Mitmenschen beeinflußt. In jedem dieser drei Bereiche entwickelt sich die religiöse Beziehung als eine Dialektik, deren Mitte die dialogische Gesundheit ist« (Benedetti 1992, S. 253).

15 Einziges gesichertes Datum dieses Autors ist sein Engagement als Kreuzritter (aus Liebeskummer?) im Jahre 1147. Die Texte sind entnommen aus: Florilège des Troubadours, publié par André Berry, Paris 1930. S. 55-69 . »Lorsque les jours sont longs en mai / J'aime ouir les oiseaux lointains; / Et quand j'ai fini d'écouter / Je songe à un amour lointain. / Je vais courbé par le désir, ... / Il dit vrai, celui qui m'accuse / D'être épris d'un amour lointain; / Je n'aspire à nulle autre joie / Qu'à jouir d'un amour lointain.«

16 Eine eigene Strömung dieser »Gottesminne« findet sich in

der Frauenmystik. Ihre berühmtesten Vertreterinnen sind Hildegard von Bingen (1098–1179) und Mechthild von Magdeburg (1210–1283). Die Frauenmystik hat einen gefühlsbetonten dichterischen Ausdruck gefunden, der stark von der Dichtung des Minnesang beeinflußt war.

17 Geboren um 1260, gestorben um 1329. Von der Kirche 1329 als Häretiker verurteilt. Eckehart gehört zu der sog. spekulativen Mystik, d.h. zu einer mit scholastisch-wissenschaftlichen Denkmitteln arbeitenden Reflexion über die mystische Erfahrung in der »Unio mystica«. Die zitierten Texte sind folgender Ausgabe entnommen: Meister Eckehart. Deutsche Predigten und Traktate. Herausgegeben und ins Neuhochdeutsche übersetzt von Quint, J. (1955) München.

18 Partage de midi, (version pour la scène), Théâtre, Band I S. 1149. Das Werk wurde 1905 geschrieben, aber erst 1948 in einer neuen Fassung uraufgeführt. »Mon âme qui est ton nom, mon âme qui est ta clef, mon âme qui est ta cause. Ce nom qui est le tien, ce nom à toi qui est inséparable de moi!«

19 Le Soulier de Satin, Théâtre, Band II, geschrieben 1919–1924, veröffentlicht 1930, Uraufführung 1943.

20 Oeuvre poétique, S. 329. »Puisque où serait la foi, s'il était là? où serait le temps? où le risque? où serait le désir? et comment devenir pleinement, s'il était là, une rose? C'est son absence seule qui nous fait naître«.

21 Oeuvre poétique, S. 344. »C'est en vain, que la distance et le sort nous divisent! Je n'ai qu'à rentrer dans mon coeur pour être avec lui et qu'à fermer les yeux pour cesser d'être en ce lieu où il n'est pas« (Alle Übersetzungen ins Deutsche: A. B.-H.).

22 Eine interessante Entwicklungslinie finden wir bei Freud selbst in der Weiterführung von *Libido* zu *Eros*. Eros liegt nahe beim Konzept des Begegnungsstrebens. Vgl. dazu die Ausführungen von Schelling, W. A.: Liebe und Haß – ein Grundprinzip des Lebens? In: Grotzer P. (Hg.), Liebe und Haß. Zürcher Hochschulforum Band 20, bes. auf S. 29 den Hinweis auf Ricoeur.

23 Jedes Lebewesen ist grundsätzlich ein offenes System. Schon die Anfänge des Organischen, die Zelle, sind nur denkbar durch »Begegnung«: Abgrenzung als »Identität« und zugleich Offensein, Austausch. Geschehen diese Prozesse nicht, stirbt die Zelle ab. Phylogenetische und ontogenetische Phänomene können als auf diesem Grundprinzip aufbauend betrachtet werden. Der phylogenetische Sprung zum Menschen besteht darin, daß bei ihm Identität und Austausch, also Begegnung, mit und durch

innere Vorstellungen geschehen. Darum ist der Sexualtrieb wesentlich ein Begegnungstrieb, er zeigt dessen intensivsten und leiblichsten Aspekt. Die Wunschstruktur weitet das sexuelle Begegnungsstreben aus und zeigt, daß intersubjektive Phänomene auf der Begegnungsbedürftigkeit des Menschen beruhen, auf einem Angewiesensein auf ein Du, auf Austausch, auf Geben und Nehmen, denn »... ohne diese Objekte muß das Individuum zugrunde gehen« (Freud, GW XI, S. 368f). Das Begegnungsstreben kann als die das Leben erhaltende und entfaltende Grundkraft bezeichnet werden. Das von Freud postulierte Phänomen der Libido, in diesen Begriff eingefaßt, weist nun auf unser Thema: Der Mensch ist angewiesen auf Begegnung um zu überleben, und er ist fähig zu innerer Begegnung dank seiner Vorstellungskraft. In der Begegnung geschieht immer auch Deutung, es wird Bedeutung erschaffen, und so entsteht ein Verweisungszusammenhang, der reflexiv erfaßt wird. Äußere Begegnung und verinnerlichte Begegnung sind beim Menschen unlösbar miteinander verbunden. Es gibt ein Streben auch nach innerer Begegnung, ja ein Angewiesensein auf Verinnerlichung.

24 Freud weist in diesem Zusammenhang auf die Ambivalenz hin von liebender und zerstörender Einverleibung, die Mischung von Zuneigung und Aggression (Freud, GW XIII, S. 58).

25 Vgl. dazu auch Stern (1992, S. 328f): »Die psychodynamisch orentierten Theoretiker verknüpften die frühe Internalisationsvorgänge eng mit der oralen Aktivität oder Phantasie. Die aktuellen Befunde zeigen nun, daß Gesicht und Gehör des Säuglings an der ›Einverleibung‹ in mindestens ebensolchem Maß beteiligt sind.«

26 Interessante Ausführungen zum Thema der Introjektion finden sich auch in: Psychologie des 20. Jahrhunderts, Band II, Freud und die Folgen. Federn stellt die Introjektion in den Zusammenhang der Liebe, die das Ich schafft und sagt weiter: »Bei der Introjektion werden die Ich-Grenzen ausgedehnt und das gesamte Ich nach dem Muster einer oralen Einverleibung verändert.« Zit. nach: Psychologie des 20. Jahrhunderts, Band II, S. 456.

27 Lichtenberg (1991, S. 106) umschreibt die frühe Entwicklung als ein Fortschreiten *von der Interaktion zur Intersubjektivität*. Säugling und Bezugsperson stehen von Anfang an in einem intensiven interaktionalen Austauschprozeß, der aufgrund von angeborenen »unbewußten interaktionalen Organisationsstrukturen« möglich ist. Die früheste Interaktion, die biologisch angelegt ist, beginnt schon zwischen Mutter und ungeborenem Kind.

Frühe Verinnerlichungen sind als Aufbauen von Erfahrungsmustern und damit verbundenen affektiven Erwartungen zu sehen. Mutter und Säugling *verinnerlichen sich* sozusagen ständig *gegenseitig* und passen sich in einem interaktionalen Lernprozeß dem Anderen an. – Brazelton weist in einem lebendig gestalteten Kapitel darauf hin, daß biologische Gegebenheiten in diesem Prozeß der Selbstwerdung immer auch Dimensionen des Deutens und damit der Bedeutung haben. Er spricht von »imaginären Interaktionen« (Brazelton 1990, S. 157), die das biologische Geschehen mitbestimmen, ja überlagern und verändern können. Die Phantasie der Mutter (des Vaters) weist dem kindlichen Interaktionspartner eine Bedeutung zu, die lebensgeschichtliche Wurzeln hat. Das Kleinkind übernimmt in seiner hochsensiblen Abstimmung auf die Mutter die ihm zugewiesene Rolle. Biologische Dimension und Bedeutungsdimension verbinden sich im frühen interaktionalen Verinnerlichungsgeschehen.

28 Vgl. auch das dialogische Verständnis des Spracherwerbs bei Stern (1992, S. 244ff). Für Stern ist das Erlernen des Sprechens nicht nur ein »wichtiger Schritt in Richtung Separation und Individuation ... dessen Bedeutung höchstens mit der des Laufenlernens zu vergleichen ist.« – In seiner Sichtweise ist die dialogische Bedeutung des Spracherwerbs zentral, und er betont, daß Spracherwerb nicht einfach der Abgrenzung dient: »Nach unserer Auffassung ist das Gegenteil der Fall: Der Spracherwerb kann Zusammengehörigkeit und Nähe ungemein stärken. Tatsächlich stellt jedes neuerlernte Wort ein Nebenprodukt der Vereinigung zweier Subjektivitäten in einem gemeinsamen Symbolsystem dar, eine Erschaffung gemeinsamer Bedeutungen.«

29 In einer Studie über Emotion und Reflexivität wendet Doris Bischof-Köhler ihr Interesse der im Laufe der Evolution sich herausbildenden Fähigkeit zur *Internalisation* zu, die sie in Zusammenhang mit der Vergegenwärtigung der Zeitdimension betrachtet (Zur Phylogenese menschlicher Motivation 1985, S. 32-33). »Die Fähigkeit, vergangene und künftige Erlebnisse zu vergegenwärtigen, umfaßt auch die Repräsentation anderer Personen. Dies hat tiefgreifende Konsequenzen für die soziale Bindung, da nun die Möglichkeit besteht, die Vertrautheit mit einer zeitweilig abwesenden Bezugsperson aufrecht zu erhalten, ohne daß deshalb Trennungsschmerz oder eine Entfremdung auftritt. Wesentlich ist dabei, daß das Vorstellungsbild des Bindungspartners dessen tatsächliche Anwesenheit bis zu einem gewissen Grad ersetzen kann«. Sie weist darauf hin, daß »die Fähigkeit

hierzu keineswegs eine Selbstverständlichkeit ist. Vertrautheit als die Basis friedlichen Zusammenlebens ist bei sozialen Tieren nämlich in der Regel an *ständige* Anwesenheit der Gruppenmitglieder gebunden. Trennung führt entweder zu Streßreaktionen und anhaltendem Suchen oder zu einer Entfremdung mit feindseligen Reaktionen beim Wiedertreffen.« »Unter den Tierprimaten ist bisher nur von den Schimpansen bekannt, daß sie freundschaftliche Beziehungen auch noch nach mehreren Monaten der Trennung wiederaufnehmen, ohne daß ein Entfremdungseffekt eintritt. – Es kommt nun nicht mehr darauf an, daß die Freunde auch dauernd anwesend sind. Schimpansen gelingt es offensichtlich, *das Bild von Freunden auch während deren Abwesenheit lebendig zu halten*«. Die ursprüngliche Funktion der Verinnerlichung eines Vertrauten bestand offensichtlich darin, Trennung zu ermöglichen, wegzugehen und das Bild des Partners mitzunehmen. Schon in diesem Ursprung kann eine Beziehung nach innen genommen werden, und sie wird dadurch in einem gewissen Maße von konkret erlebter Nähe in Zeit und Raum unabhängig.

30 Benedetti (1992) weist auf die destruktive Wirkkraft des verinnerlichten Anderen beim psychotisch Erkrankten hin. Willi (1991, S. 224) zeigt, wie Phänomene des verinnerlichten Anderen als »Beziehungskonstrukte« in der Partnerschaft wirksam sind, und er spricht in diesem Zusammenhang von der Notwendigkeit, daß »Beziehungskonstrukte ... durch neue Erfahrungen modifiziert, differenziert und angereichert« werden.

31 Vgl. dazu auch die spirituelle Tradition des inneren Dialogs, z. B. bei Augustinus, im Mittelalter die Tradition der Gespräche mit der Seele, z. B. Charles d'Orléans u.a. Auch die Tradition des Tagebuches zeigt wichtige Aspekte der Introspektion als innerem Dialog. Ein Musterbeispiel dafür sind die Tagebücher von Anaïs Nin, wo sich das innere Du im Tagebuch als einem lebendigen Gesprächspartner materialisiert (s. Teil IV).

32 Der Begriff der »Basisverinnerlichung« kann demjenigen der »Urübertragung« oder »Basic transference« von Greenacre (1954) angenähert werden. Greenacre erwähnt in Zusammenhang mit diesem Begriff den Umstand, daß überall, wo zwei Menschen über längere Zeit alleine miteinander zusammen sind, eine gefühlsmäßige Bindung zwischen ihnen entsteht. Nach H. Weiss 1988, S. 14.

33 Einen Überblick über neuere Entwicklungen des Übertragungsbegriffs gibt H. Weiss (1988).

34 In der Literatur fand ich nur bei Riemann (1973) einen Hinweis auf eine Gestaltung der Therapie in Phasen. Riemann spricht von einer fraktionierten Arbeitsweise in der Analyse oder Therapie und umschreibt damit etwas Ähnliches. Ein Unterbruch in der analytischen Arbeit hat bei ihm die Funktion einer »schöpferischen Pause«. Riemann, F., in: Pongratz, J. (Hg.), Psychotherapie in Selbstdarstellungen, Bern 1973, S. 372.

35 Vorlesung von W. A. Schelling, Universität Zürich, Sommersemester 1983: *Das erinnerte Ich*.

36 Vgl. dazu die Darstellung von Dieter Eicke (1976, S. 499-514). Eicke weist dort auf die vielfältigen Vernetzungen des Begriffs in der modernen Welt hin, und er zeigt auch neuere Entwicklungen in der Über-Ich-Theorie.

37 Eingeführt in der französischen Literaturwissenschaft von Georges Poulet, von der deutschen Literaturwissenschaft jedoch kaum rezipiert. Vgl. dazu Grotzer, P. (1992): Gelebte Intersubjektivität. Abschied von Georges Poulet, NZZ, Nr. 3, Jan. Ferner Starobinski, J. (1993): Existenz und Bewußtsein. Zu Methode und Werk von Georges Poulet. NZZ, Nr. 18, Jan.

38 Zitiert und übersetzt nach Marrou, H. (1965): Saint Augustin et l'augustinisme. Paris, Erstausgabe, Reihe »Maîtres spirituels«, S. 96f.

39 Belli, G. (1989): *Aus einer Rippe Evas*. (Aus dem nicaraguanischen Spanisch übersetzt von Dagmar Ploetz u. Annelies Schwarzer de Ruiz.) Wuppertal. Die zitierten Auszüge stammen aus folgenden Gedichten: Für Juan Gelman (S. 93), Grenzen (S. 63), Dauer (S. 14), Definitionen (S. 44), Ahnung (S. 30), Geburten (S. 32), Anrufung des Lächelns (S. 46), Zerzauste Bäume (S. 56), Ereignisse (S. 49), Nachtwache (S. 28), Bitte (S. 16), Ohne Worte (S. 23), Dauer des Unterschlupfs (S. 51), In Memoriam (S. 20), Der Mensch und das Universum (S. 117).

40 Kafka, F. (1974): Die Verwandlung, in: Die Erzählungen, Zürich, S. 39-93.

41 Vgl. dazu Böckenhoff, J. (1970): *Die Begegnungsphilosophie*. Viertes Kapitel: *Der erkenntnistheoretische Aspekt der Begegnung*, S. 326-377.

42 Jaspers, K. (1989): Von der Wahrheit, zit. nach Braun, H. J. und Grotzer, P. (Hg.).

43 In *Psychotherapie als existentielle Herausforderung* (1992) beschreibt Benedetti die reichen Beobachtungen, die er in bezug auf das Unbewußte als therapeutische Kraft macht.

44 Wenn wir die kommunikative Sichtweise des Unbewuß-

ten ausführen, wollen wir auch einige andere Ansätze betrachten, die alle eine dialogische Perspektive aufweisen.

Lang (in: Weiss [1989], S. 66-75) nimmt Bezug auf Lacan, der sagt: »Das Unbewußte ist wie eine Sprache strukturiert« und weiter : »Das Unbewußte ist die Rede des Anderen«. Lang illustriert anhand eines Fallbeispiels diese Aussagen Lacans. Er zeigt dabei, daß die noch unbewußten früheren und in der Analyse wiederbelebten Szenen »bereits auf der Bühne eines kommunikativ strukturierten Unbewußten spielen« (S. 70). Der Analysand wendet sich im aktuellen Gespräch nicht nur an den gegenwärtigen Partner, sondern er spricht gewissermaßen durch ihn hindurch auch mit einem anderen, archaischen Partner, das heißt, daß er »sich in Kommunikationsstrukturen bewegt, welche die jetzige ›kommunikative Begegnung‹ mitbestimmen« (S. 70). Dies ist möglich dank einer inneren Kommunikation zwischen Gegenwärtigem und Vergangenem, was Lang mit Geschichtlichkeit umschreibt. Dieser Aspekt zeigt nach Lang, daß das Unbewußte kein Chaos von Erregungen ist, sondern »eine kommunikative Welt der Beziehung«. In diesem Sinne zeigt sich das Unbewußte als Rede des Anderen, das heißt »als Gespräch mit dem Anderen, den Anderen, den lebensgeschichtlich erfahrenen Beziehungsgestalten«. Das Gespräch mit dem Anderen ist eine unbewußte Kommunikation auch mit »dem Therapeuten, mit dem er das Gespräch auch auf unbewußter Ebene (zum Beispiel im Traum) fortsetzt.«. Lang spricht von »einem Unbewußten, in dem eine Welt von Kommunikation sich auftut« (S. 71).

Ein dialogischer Ansatz ist auch jener von Ricoeur (1993). Ricoeur lehnt Lacans Konzept der sprachlichen Strukturiertheit des Unbewußten ab und postuliert ein Unbewußtes, das angelegt ist auf Sprachwerdung. Nach ihm ist das Unbewußte noch nicht Sprache, ist aber darauf angewiesen, von einem Anderen angesprochen zu werden, um in den Prozeß des Bewußtwerdens einzutreten. Die Dechiffrierung des im Symbol ausgedrückten Unbewußten als hermeneutischer Prozeß ist nur im Dialog möglich. Im analytischen Prozeß findet das Unbewußte durch das Wort des Anderen zur Wortgestalt. Aus der Vor-Sprache (Prélangue, Merleau-Ponty) wird dann eigentliche Sprache, die wie in der Poesie »Sprache im Zustand des Emportauchens« (Bachelard, zit. nach Ricoeur) ist. In diesem Sprachgeschehen, im »Emportauchen des Sprachlichen« wird die Welt des Symbolischen zur Welt des Wortes.

A. Schöpf (in: Weiss [1989], S. 55-69) sucht eine mögliche

Verbindung von energetischer und Bedeutungsebene im Kontext von Sprache und Unbewußtem. Das Unbewußte wirkt als Tiefenschicht der Sprache, »wenn Sprache so verstanden würde, daß das Affektgeschehen selbst ein ihr inhärentes und sie konstituierendes Moment ist, bzw. wenn die affektiven Prozesse gar nicht in und aus sich verständlich wären, es sei denn, daß ihnen ein sprachlicher Ausdruck zu eigen ist, der sie verständlich macht« (S. 55). In die Dimension der Wortsprache soll die bildhafte Dimension einbezogen werden, auch die Leibsprache (Leib mit Mimik und Gestik als fundierende Schicht für Sprachlichkeit). So wird der Leib Vermittlungsinstanz von Natur und Kultur: Natur als die genetischen Prädispositionen im Ausdrucksverhalten, als Spuren der evolutionären Vorgeschichte, Kultur als die Verwandlungen auf der Bedeutungsebene. Somit stellt Schöpf die Verbindung zwischen Neurophysiologie und Bedeutungsebene her. Das Unbewußte würde in einer solchen Sichtweise, im evolutionären Übergang von Ausdrucksgeschehen und dialogischem Bedeutungsgeschehen liegen.

45 Balint hat gleichzeitig mit Buber, der vom dialogischen Prinzip zu sprechen begann, von ganz anderer Seite her kommend, auf die primäre Bezogenheit des Menschen hingewiesen. Damit umschreibt er das Phänomen, daß der Mensch in jedem Stadium seiner Entwicklung in Beziehung steht und sich nur in und durch Beziehung entfaltet.

Innerhalb dieser Sichtweise von der primären Bezogenheit hat Balint eine weitere, für das therapeutische Geschehen bedeutungsvolle These entwickelt: Leben ist, so Balint, auf Neubeginn angewiesen, der möglich wird im Erkanntwerden. Das Erkanntwerden führt zu einer Neukonstitution des Selbst.

Die Primäre Liebe, wie er die frühe Beziehungsart nun nennt, fällt in die früheste Entwicklungsphase. Sie ist unüberspringbar, und somit eine notwendige Stufe der seelischen Entwicklung. Alle späteren Stufen der Liebe leiten sich aus ihr ab, das heißt sie enthalten Spuren von dieser Urform der Liebe. Nach Balint läßt sich diese Primäre Liebe als passive Liebe, als Wunsch, geliebt zu werden, definieren. Alice Balint stellt ergänzend dazu heraus, daß die Dual-Einheit von Mutter und Kind eine primäre Bezogenheit zwischen zwei libidinös gleichwertigen Partnern ist. In der frühen Interaktion sind beide Partner gleichzeitig Spender und Empfänger. Der Wunsch geliebt zu werden, so erweitert sie Michael Balints Aussagen, ist nicht nur ein passiver Wunsch, sondern auch ein Wunsch zu lieben. In diesen Aussagen nimmt

Alice Balint intuitiv Beobachtungen der modernen Neonatologie ein halbes Jahrhundert voraus.

Der Wunsch geliebt zu werden ist letztlich ein Wunsch, erkannt zu werden. Wenn der Analytiker den Analysanden erkennt, »in dem, was er ist, in dem was er braucht und in dem, was er werden kann« (Schelling, 1985a, S. 97), kann sich in diesem Erkanntwerden das Selbst neu konstituieren. Denn der Wunsch, erkannt zu werden, steht nach Balint im Zentrum der Selbstkonstitution, und das Erkanntwerden ermöglicht Neubeginn (S. 90).

Literatur

Literarische Werke
Augustinus, A.: Bekenntnisse. München, 1992
Augustinus, A.: Selbstgespräche. München, Zürich, 1986
Belli, G. (1989): Aus einer Rippe Evas. Gedichte. Wuppertal
Borchert, W. (1973): Das Gesamtwerk. Zürich (Erstausgabe 1949)
Claudel, P. (1957): Oeuvre poétique. Bibliothèque de la Pléiade. Paris
Claudel, P. (1957): Théâtre, Tome I et II. Bibliothèque de la Pléiade. Paris
Florilège des Troubadours (1930), altfranzösisch/neufranzösisch hg. und übersetzt von André Berry, Paris
Kafka, F. (1958): Das Schloß. Frankfurt a. M.
Kafka, F. (1974): Die Erzählungen. Zürich
Meister Eckehart: Deutsche Predigten und Traktate, hg. und ins Neuhochdeutsche übersetzt von J. Quint. München, 1955
Nin, A.: Tagebücher 1920–1921. München, 1990
Novalis: Werke und Briefe in einem Band, hg. von Alfred Keller. München o. J.
Rousseau, J.-J. (1782): Rêveries du promeneur solitaire. Paris, 1972
Sartre, J.-P. (1945): Geschlossene Gesellschaft. Hamburg, 1991
Sartre, J.-P. (1953): Théâtre. Paris

Wissenschaftliche Werke
Ainsworth, M. D. S. et al. (1978): Patterns of Attachment. Hillsdale, N.J.
Baddeley, A. D. (1990): Human Memory: Theory and Practice. Hove
Balint, M. (1970): Therapeutische Aspekte der Regression. Stuttgart (engl. Erstausgabe 1934)
Balint, M. (1988): Die Urformen der Liebe und die Technik der Psychoanalyse. Stuttgart (engl. Erstausgabe 1952)
Benedetti, G. (1973): Psyche und Biologie. Stuttgart

Benedetti, G. (1975): Psychiatrische Aspekte des Schöpferischen und schöpferische Aspekte der Psychiatrie. Göttingen
Benedetti, G. (1976): Der Geisteskranke als Mitmensch. Göttingen
Benedetti, G. (1980): Klinische Psychotherapie. Bern
Benedetti, G. (1983): Todeslandschaften der Seele. Göttingen, 2. Auflage 1987
Benedetti, G. (1984): Der psychisch Leidende und seine Welt. Frankfurt a. M., 1. Auflage 1964
Benedetti, G. (1992): Psychotherapie als existentielle Herausforderung. Göttingen
Benedetti, G. (1994): Mein Weg zur Psychoanalyse und zur Psychiatrie, in: Hermanns, L. M. (Hg.), Psychoanalyse in Selbstdarstellungen. Tübingen, Bd. 2
Benedetti, G., Rauchfleisch, U. (Hg.; 1988): Welt der Symbole. Göttingen
Benedetti, G., Wagner-Simon, Th. (Hg.; 1982): Sich selbst erkennen. Göttingen
Benedetti, G., Wagner-Simon, Th. (Hg.; 1984.): Traum und Träumen. Göttingen
Binswanger, L. (1993): Grundformen und Erkenntnis menschlichen Daseins. Heidelberg
Bischof-Köhler, D. (1985): Zur Phylogenese menschlicher Motivation, in: Eckensberger, L., Lantermann E.-D. (Hg.), Emotion und Reflexivität. München, Wien, Baltimore
Böckenhoff, J. (1970): Die Begegnungsphilosophie. Freiburg, München
Boss, M. (1966): Sinn und Gehalt der sexuellen Perversionen. München, 3. Auflage
Bowlby, J. (1975): Bindung. Eine Analyse der Mutter-Kind-Beziehung. München
Braun, H.-J., Grotzer, P. (1989): Wege zur existentiellen Kommunikation. Karl Jaspers, Gabriel Marcel, Martin Buber. Zürich
Brazelton, T. B., Cramer, B. C. (1991): Die frühe Bindung. Stuttgart (Originalausgabe: The Earliest Relationship – Parents, Infants, and the Drama of Early Attachment, 1989)
Buber, M. (1984): Das dialogische Prinzip. Heidelberg
Buber, M. (1984a): Die Frage an den Einzelnen, in: ders., Das dialogische Prinzip, Heidelberg 1984 (Erstausgabe: 1936)
Buber, M. (1984b): Elemente des Zwischenmenschlichen, in: ders., Das dialogische Prinzip, Heidelberg 1984 (Erstausgabe: 1954)

Buber, M. (1984c): Ich und Du, in: ders., Das dialogische Prinzip, Heidelberg 1984 (Erstausgabe: 1923)

Buber, M. (1984d): Zwiesprache, in: ders., Das dialogische Prinzip, Heidelberg 1984 (Erstausgabe: 1929)

Buchholz, M. B. (1990): Die unbewußte Familie. Psychoanalytische Studien zur Familie in der Moderne. Berlin, Heidelberg, New York

Bühler, K.-E. (1986): Zeitlichkeit als psychologisches Prinzip. Köln

Condrau, G. (1992): Sigmund Freud und Martin Heidegger. Daseinsanalytische Neurosenlehre und Psychotherapie. Fribourg, Bern, Stuttgart, Toronto

Cremerius, J. (1990): Die Konstruktion der biographischen Wirklichkeit im analytischen Prozess, in: Vom Handwerk des Psychoanalytikers. Stuttgart, 2. Auflage

Davison, G., Neale, J. (1988): Klinische Psychologie. München, Weinheim, 3. Auflage

Eicke, D. (1976): Das Über-Ich, eine Instanz, richtunggebend für unser Handeln, in: Die Psychologie des 20. Jahrhunderts, Bd. II, Freud und die Folgen. Zürich

Erikson, E. (1971): Kindheit und Gesellschaft. Stuttgart (Originalausgabe: Identity and the Life Cycle, 1959)

Freud, S.: Gesammelte Werke, London, Frankfurt a. M.

Freud, S., Jung, C. G. (1974): Briefwechsel. Frankfurt a. M.

Gadamer, H.-G. (1990): Wahrheit und Methode, in: Gesammelte Werke, Bd. 1, Hermeneutik I. Tübingen (Erstausgabe 1960)

Grotzer, P. (1992): Gelebte Intersubjektivität. Abschied von Georges Poulet. NZZ, Nr. 3, Jan.

Grotzer, P., Braun, H.-J. (1989): Wege zur existentiellen Kommunikation. Zürich 1989

Jung, C. G. (1946): Die Psychologie der Übertragung, in: GW 16, Olten, 1981

Kohut, H. (1979): Die Heilung des Selbst. Frankfurt a. M.

Kohut, H. (1989): Wie heilt die Psychoanalyse? Frankfurt a. M.

Lachauer, R. (1990): Die Bedeutung des »Handlungsdialogs« für den therapeutischen Prozess. Psyche 44, 12, S. 1082-1099

Lang, H. (1986): Die Sprache und das Unbewußte. Frankfurt a. M., 2. Auflage

Lang, H. (1989): Das Unbewußte im psychotherapeutischen Prozess – mitgesehen im Lichte der strukturalen Psychoanalyse Jacques Lacans, in: Weiss, H., Pagel, G. (Hg.), Das Bewußtsein und das Unbewußte. Würzburg

Lang, H. (Hg.; 1994): Wirkfaktoren der Psychotherapie. Würzburg, 2. Auflage

Laplanche, J., Pontalis, J.-B. (1977): Das Vokabular der Psychoanalyse. Bd. I u. II. Frankfurt a. M.

Lichtenberg, J. D. (1991): Psychoanalyse und Säuglingsforschung. Berlin, Heidelberg (amerikan. Originalausgabe: Psychoanalysis and Infant Research, 1983)

Lorenz, K. (1977): Die Rückseite des Spiegels. München

Mahler, M. et al. (1990): Die psychische Geburt des Menschen. Symbiose und Individuation. Frankfurt a. M. (Originalausgabe: The Psychological Birth of the Human Infant, 1975)

Marrou, H. (1956): Saint Augustin et l'augustinisme. »Maîtres spirituels«. Paris

Maturana, H. R., Varela, F. J. (1992): Der Baum der Erkenntnis. Die biologischen Wurzeln des menschlichen Erkennens. München, 4. Auflage (span. Originalausgabe 1984)

Pongratz, J. (1973; Hg.): Psychotherapie in Selbstdarstellungen. Bern

Ricoeur, P. (1993): Die Interpretation. Ein Versuch über Freud. Frankfurt a. M., 4. Auflage

Schelling, W. A. (1978): Sprache, Bedeutung und Wunsch. Berlin

Schelling, W. A. (1985a): Lebensgeschichte und Dialog in der Psychotherapie. Göttingen

Schelling, W. A. (1985b): Tiefenpsychologische und geisteswissenschaftliche Perspektiven der Biographie. Daseinsanalyse 2: 143-153

Schelling, W. A. (1986): Zeit, Geschichte und Erinnerung, in: Bühler, K.-E. (Hg.), Zeitlichkeit als psychologisches Prinzip. Köln

Schelling, W. A. (1987): Lebenswelt, Anthropologie und Psychotherapie. Daseinsanalyse 4: 85-98

Schelling, W. A. (1990): Tiefenpsychologie und Anthropologie. Würzburg

Schelling, W. A. (1991): Der Dialog als psychotherapeutisches Grundprinzip. Vorlesung Universität Zürich, Sommersemester 1991 (Manuskript)

Schöpf, A. (1982): Sigmund Freud. München

Schöpf, A. (1989): Sprache und Affekt in ihrer Bedeutung für die Bestimmung des Unbewußten. Eine Auseinandersetzung mit J. Lacan und W. Reich, in: Weiss, H., Pagel, G. (Hg.), Das Bewußtsein und das Unbewußte. Würzburg

Starobinski, J. (1993): Existenz und Bewußtsein. Zu Methode und Werk von Georges Poulet. NZZ, Nr. 18, 23./24. Januar

Stern, D. N. (1992): Die Lebenserfahrung des Säuglings. Stuttgart (Originalausgabe: The Interpersonal World of the Infant, 1985)

Uslar, D. von (1987): Begegnung als Prinzip des Psychischen, in: ders., Sein und Deutung. Stuttgart

Uslar, D. von (1987): Sein und Deutung. Bd. 1: Grundfragen der Psychologie. Stuttgart

Uslar, D. von (1989): Sein und Deutung. Bd. 2: Das Bild des Menschen in der Psychologie. Stuttgart

Uslar, D. von (1991): Sein und Deutung. Bd. 3: Mensch und Sein. Stuttgart

Uslar, D. von (1994): Sein und Deutung. Bd. 4: Traum, Begegnung, Deutung. Stuttgart

Uslar, D. von (1989): Bewußtsein und Unbewußtes in anthropologischer Sicht, in: Weiss, H., Pagel, G. (Hg.), Das Bewußtsein und das Unbewußte. Würzburg

Weiss, H. (1988): Der Andere in der Übertragung. Stuttgart

Weiss, H. (1990): Plazebophänomen, Arzt-Patient-Beziehung und psychotherapeutischer Prozeß. Daseinsanalyse 7: 102-113

Weiss, H., Pagel, G. (Hg.; 1989): Das Bewußtsein und das Unbewußte. Beiträge zu ihrer Interpretation und Kritik. Würzburg

Willi, J. (1987): Koevolution. Die Kunst gemeinsamen Wachsens. Zürich

Winnicott, D. W. (1990): Reifungsprozesse und fördernde Umwelt. Frankfurt a. M.

Wyss, D. (1991): Die tiefenpsychologischen Schulen von den Anfängen bis zur Gegenwart. Göttingen, 6. Auflage

Zacher, A. (1989): Kategorien der Lebensgeschichte. Berlin, Heidelberg

Die Wiederentdeckung des Dialogs

Rainer M. Holm-Hadulla
**Die psycho-
therapeutische Kunst**
Hermeneutik als Basis therapeutischen Handelns
1997. 163 Seiten, kartoniert
ISBN 3-525-45802-9

Lebendige und schöpferische Psychotherapie bedarf eines lebensweltlichen Zugangs, der über den wissenschaftlichen hinausgeht. Aus der modernen Hermeneutik läßt sich eine psychotherapeutische Haltung ableiten, die den Menschen nicht auf technisch behandelbare Symptome reduziert, sondern seine Subjektivität zur Sprache bringt. Holm-Hadulla demonstriert diesen neuen Aspekt in der Psychotherapie an ausführlichen Fallgeschichten. Indikation und Kontraindikation hängen nicht allein von der Art und dem Schweregrad der psychischen Störung ab, sondern wesentlich von der Bereitschaft der Patienten, emotional bedeutsame Geschehnisse bildhaft zu aktualisieren, wie auch der Fähigkeit der Therapeuten, mit Phantasien und Vorstellungen interaktionelles Erleben zu strukturieren.

Eckhard Frick
Durch Verwundung heilen
Zur Psychoanalyse des Heilungsarchetyps
1996. 172 Seiten mit 14 Abbildungen und 2 Tabellen, kartoniert
ISBN 3-525-45628-X

Die Medizin, so hochentwickelt sie naturwissenschaftlich ist, bewegt sich in gewissem Sinn noch in ihrer Steinzeit. Heilendes Geborgensein stellt sich für kranke Menschen nur ein, wenn Therapeutinnen und Therapeuten um das immer auch Verwundende ihres Handelns wissen wie auch um ihre eigenen Verwundungen. Gesundung ist dann ein wirkliches Heilen, wenn die wirkliche Verwundung beider Seiten offenbar wird und sich Arzt wie Patient darin erkennen.

Vandenhoeck & Ruprecht

Psychotherapie als Beruf:
Herausforderung und Verantwortung

Karl König
Übertragungsanalyse
1998. 193 Seiten, kartoniert
ISBN 3-525-45824-X

Karl König
Gegenübertragungsanalyse
2. Auflage 1995. 235 Seiten,
kartoniert. ISBN 3-525-45755-3

Almuth Bruder-Bezzel
Geschichte der Individualpsychologie
2., neu bearbeitete Auflage 1998.
Ca. 280 Seiten, kartoniert
ISBN 3-525-45834-7

Peter Kutter / Raúl Páramo-Ortega / Thomas Müller (Hg.)
Weltanschauung und Menschenbild
Einflüsse auf die psychoanalytische Praxis
1998. 288 Seiten, kartoniert
ISBN 3-525-45806-1

Gaetano Benedetti
Psychotherapie als existentielle Herausforderung
2. Auflage 1998. 277 Seiten mit
61 z.T. farbigen Abbildungen,
kartoniert. ISBN 3-525-45742-1

Paul L. Janssen /
Manfred Cierpka /
Peter Buchheim (Hg.)
Psychotherapie als Beruf
1997. 241 Seiten mit 9 Tabellen,
kartoniert. ISBN 3-525-45817-7

Michael Ermann (Hg.)
Die hilfreiche Beziehung in der Psychoanalyse
2. Auflage 1996. 162 Seiten
mit 10 Abbildungen, kartoniert
ISBN 3-525-45753-7

Annelise Heigl-Evers / Irene
Helas / Heinz C. Vollmer (Hg.)
Die Person des Therapeuten in der Behandlung Suchtkranker
Persönlichkeit und Prozeßqualität
1997. 168 Seiten mit 14 Abbildungen, kartoniert.
ISBN 3-525-45791-X

Vandenhoeck
& Ruprecht